La cuisine de Provence par ses chefs

Les Cuisines régionales par leurs Chefs
Collection dirigée par
Claude Tchou

La cuisine de Provence par ses chefs

Illustrations de Natacha de Molènes

ALBIN MICHEL

22, rue Huyghens, 75014 Paris

ISBN 2 226 08723 0

Une cuisine « du marché »

Tomate, ail, huile d'olive : si trois produits devaient symboliser la cuisine provençale et méridionale, ce serait, bien qu'on ait l'embarras du choix, cette trilogie. Une trilogie qui, pour paraître aussi éternelle que les paysages de cyprès et d'oliviers, est pourtant d'invention assez récente. Au Moyen Âge et jusqu'au XVe siècle, le Provençal se nourrissait de chou, de poireau, de fèves, d'épinards et de lard. Si l'ail est plus ancien – déjà les musulmans étaient, dit-on, effrayés par l'odeur d'ail des croisés méridionaux –, la tomate, d'importation américaine, ne s'imposa en Provence qu'au XVIIIe siècle et l'huile d'olive servit longtemps à s'éclairer.

Mais de quelle Provence parlons-nous ? La Provence âpre et venteuse de Giono, où chevauchait le hussard ? Celles des calanques méditerranéennes, des garrigues de la Montagnette ou des champs d'oliviers de Maussanne et de Fontvieille ? Ou bien celle du Comté de Nice ? Tous ces microclimats gastronomiques contribuent à la cuisine provençale d'aujourd'hui.
Les Niçois ont apporté le mesclun (un mot qui signifie mélange), la pissaladière, sorte de pizza à l'oignon et aux anchois et, bien sûr, la salade niçoise ; ils ont importé d'Italie la porchetta (cochon de lait farci d'origine piémontais), ils perpétuent l'usage très particulier du stockfish, cet aiglefin boucané que les marins ramenaient de Scandinavie en échange de leur huile d'olive, comme les Nîmois ont gardé la brandade, reliquat de la morue qu'ils obtenaient en échange du sel de Camargue. Le Vaucluse

maraîcher avait, dans sa dot, ses melons, ses légumes et ses fruits que l'on confit à Apt ; la mer, ses anchois qui rehaussent le goût de l'agneau, et ses rougets de roche, pas plus grands que de la friture en chocolat, que l'on mange sans les vider ni les écailler, accompagnés de tapenade. Et puis ces télines, inconnues des brumes du Nord, coquillages au goût de noisette, plus petits que des amandes et que l'on peut pêcher au bord des plages, simplement en plantant sa main dans le sable.

Cousinages naturels d'outre-Alpes, la Provence culinaire allie la sophistication à une simplicité qui rappelle la cuisine italienne. C'est une cuisine du marché, comme disent les cuisiniers, une cuisine de senteurs qui n'a guère à voir avec cette hérésie septentrionale que sont les herbes dites de Provence, mixture au goût de foin séché que, de Brest à Strasbourg, on achète en sac pour la jeter à la volée sur les viandes du barbecue. Les herbes – fraîches si possible – doivent se doser entre le pouce et l'index, selon des alchimies délicates qui ne peuvent que prohiber tout mélange aléatoire. Le romarin aime le lapin des garrigues autant que l'agneau, la sauge adore les viandes blanches, alors que la menthe est la reine des salades de fruits.
Cuisine de parfums et d'aromates, sentant la farigoule (le thym), cuisine du marché, cuisine légère et non « saucière », les mets provençaux sont devenus à la mode parce qu'ils conviennent mieux au goût d'aujourd'hui pour une gastronomie allégée, privilégiant légumes et saveurs.

Jean-Marcel Bouguereau

ENTRÉES ET HORS-D'ŒUVRE

Consommé à l'ail et à la sauge

Pour 4 personnes

2 l de bouillon de bœuf et de poulet, 6 feuilles de sauge, 1 tête d'ail épluchée, 4 œufs, lamelle de bœuf cru, lamelles de carottes, pétales de rose

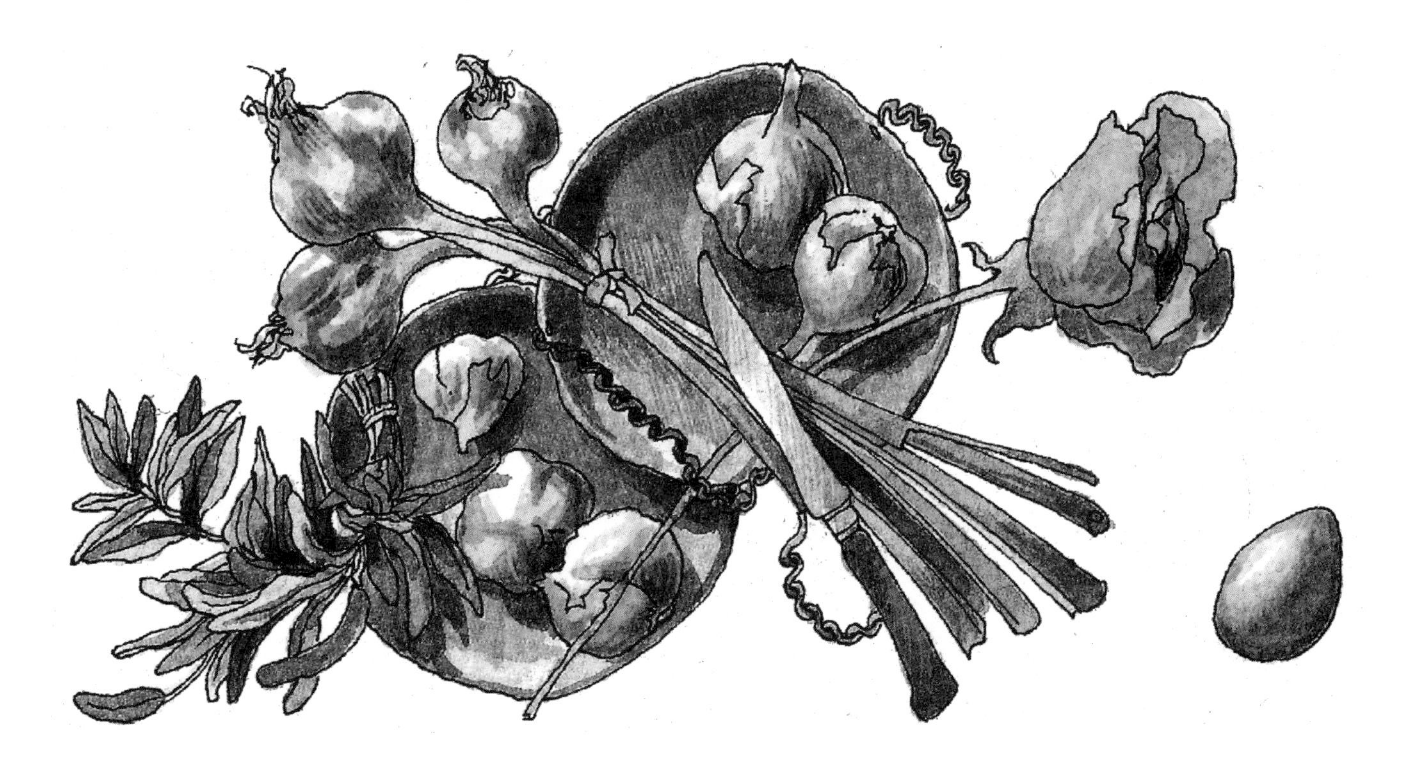

Faites cuire l'ail à couvert dans le bouillon de bœuf et de poulet pendant 5 min. Arrêtez le feu et faites infuser la sauge 10 min à couvert. Passez au chinois, puis remettez sur feu doux. Pochez les œufs dans ce bouillon, à petite ébullition.

Servez le consommé avec, par personne, 1 œuf poché, quelques lamelles de bœuf et de carottes et une petite julienne de pétales de roses.

Pierre et Jany Gleize
La Bonne Étape
04160 Château-Arnoux

Velouté de potiron à la polenta et aux truffes

Pour 8 personnes
1 kg de potiron, 200 g de semoule de maïs, 200 g de truffes, 250 g de crème fraîche, 100 g de beurre, 1 bouquet garni, muscade râpée, sel et poivre

Épluchez le potiron et coupez-le en morceaux. Étuvez-le au beurre avec de la muscade râpée, du sel et du poivre. Ajoutez la crème fraîche, le bouquet garni et laissez cuire, jusqu'à obtenir une consistance nappante. Mixez et ramenez l'ébullition, puis passez au chinois.
Pendant ce temps, faites bouillir de l'eau et versez-la sur la semoule de maïs. Laissez cuire cette polenta jusqu'à ce qu'elle n'adhère plus aux parois de la casserole ni à la cuillère, puis versez-la sur une plaque. Laissez refroidir.
Versez dans des assiettes creuses et très chaudes le velouté de potiron. Confectionnez des petites quenelles de polenta que vous dressez à la surface. Disposez ensuite des lamelles de truffes et servez brûlant.

Dominique Bucaille
Hostellerie de La Fuste
04210 Valensole

Salade de foie gras frais aux pousses de poireaux

Pour 6 personnes
400 g de foie gras frais de canard, 12 pousses de poireaux, salade (mesclun), vinaigrette, sel et poivre

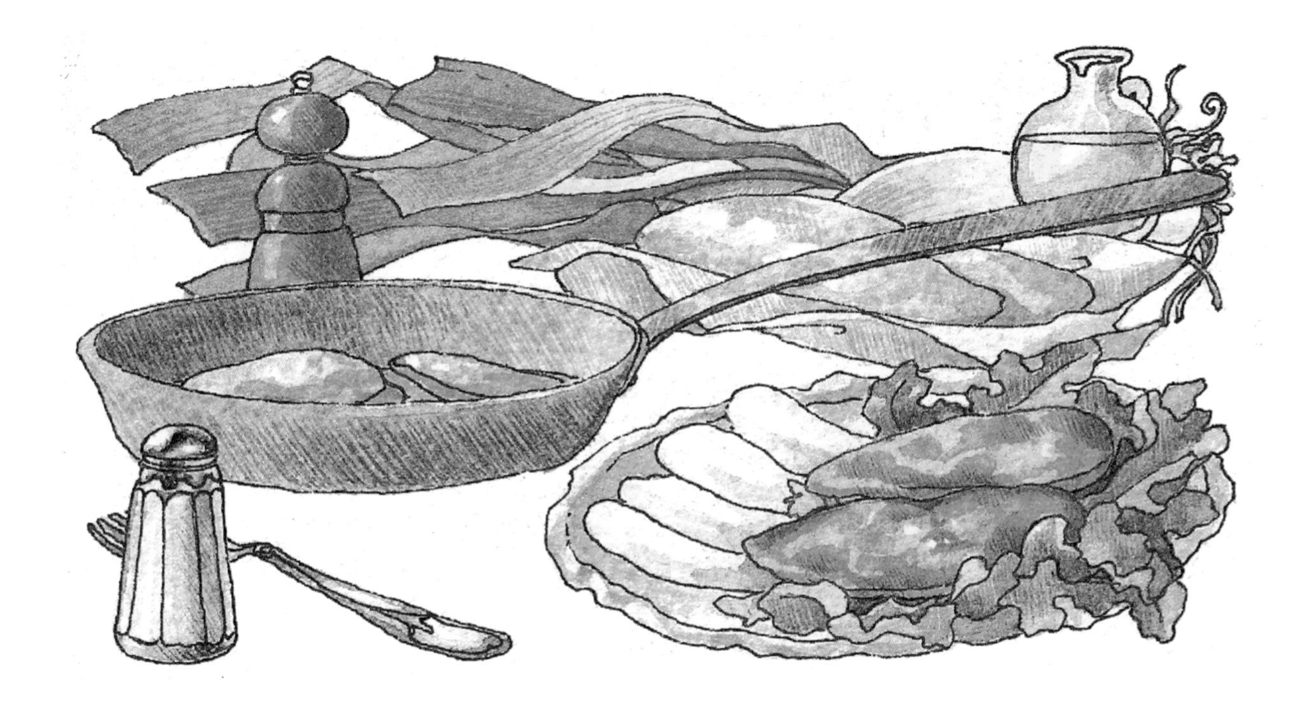

Nettoyez les pousses de poireaux et faites-les cuire une dizaine de minutes à la vapeur.
Coupez le foie gras en tranches que vous saisissez vivement à sec, dans une poêle antiadhésive, avec 1 pincée de sel et autant de poivre.
Dressez la salade assaisonnée sur une moitié de l'assiette, les pousses de poireaux sur l'autre moitié et déposez délicatement les tranches de foie gras encore chaudes sur la salade. Servez aussitôt.

Alain Nicolet
84460 Cheval-Blanc

Brouillade de truffes

Pour 4 personnes
10 œufs, 120 g de truffes émincées, 10 cl d'huile d'olive, 100 g de beurre, sel et poivre

Cassez les œufs et battez-les avec l'huile d'olive. Ajoutez les truffes (en en réservant 4 rondelles), salez et poivrez.
Faites chauffer le beurre dans une poêle antiadhésive. Versez-y la préparation et cuisez à feu doux, sans cesser de remuer soigneusement avec une cuillère en bois. Arrêtez la cuisson lorsque la brouillade est encore souple (5 min de cuisson environ). Versez dans 4 plats à œufs préalablement chauffés.
Décorez avec les rondelles de truffes réservées. Servez aussitôt.

Lucien Giravalli
Au Jambon de Parme
13006 Marseille

Julienne de truffes en coque d'œuf

Pour 4 personnes
4 œufs, 50 g de truffes, pignons de pin, 10 cl de crème liquide, jus de truffe (facultatif), beurre, gros sel, sel et poivre

Décalottez les œufs à l'aide d'un coupe-œuf et séparez les blancs des jaunes. Mélangez les jaunes avec la crème liquide, salez et poivrez, ajoutez un peu de jus de truffes si vous en avez. Montez-les blancs en neige avec 1 pincée de sel. Coupez les truffes en julienne (en réservant 4 lamelles).
Dans chaque œuf, répartissez la iulienne de truffes et remplissez aux trois quarts de l'appareil des jaunes dessus. Disposez les œufs sur du gros sel, afin qu'ils ne se renversent pas, puis préchauffez-les 2 min au four à 180 °C. Retirez-les et posez dessus les blancs en neige. Terminez avec les pignons de pin disposés uniformément. Mettez de nouveau à cuire 2 min à 180 °C.
Au moment de servir, introduisez dans chaque œuf 1 lamelle de truffe légèrement chauffée au beurre et assaisonnée.
Vous pouvez, comme pour des œufs à la coque, servir avec des mouillettes ou du pain grillé.

Franck Gomez
La Table du Comtat
84110 Séguret

Chausson de truffes aux pointes d'asperges, sauce ciboulette

Pour 4 personnes

4 feuilletés en forme de chaussons, 1 kg d'asperges, 80 g de truffes, 1 botte de ciboulette, 60 g de beurre, 25 cl de crème liquide, 25 cl de vin blanc, sel et poivre

Faites cuire les asperges à la vapeur, en les gardant bien croquantes. Coupez les pointes de façon régulière et réservez-les au chaud. Préparez la sauce ciboulette en mettant dans une casserole le reste des asperges, la crème liquide, le vin, la ciboulette, du sel et du poivre. Laissez réduire une dizaine de minutes. Mixez le tout avec 50 g de beurre et passez ce mélange au chinois.
Faites réchauffer les chaussons, quelques minutes, au four à 150 °C. Coupez finement les truffes et étuvez-les doucement au beurre. Dressez les chaussons avec les pointes d'asperges, nappez-les de la sauce et déposez les truffes dessus. Servez très chaud.

Alain Nicolet
84460 Cheval-Blanc

Truffes à la croûte de pain

Pour 6 personnes
6 truffes de 15 g chacune environ, 300 g d'épinards frais, 6 tranches de pain de mie, 10 cl de crème fraîche, 30 g de beurre, sel et poivre

Coupez les épinards soigneusement nettoyés en fine julienne. Placez-les au fond de 6 petits ramequins individuels. Ajoutez dans chaque ramequin 1 truffe et 1 cuillerée à soupe de crème fraîche. Assaisonnez.
Découpez le pain de mie, à l'emporte-pièce, en 6 morceaux du diamètre des ramequins. Beurrez chaque morceau et recouvrez-en les ramequins, face beurrée sur la truffe afin qu'elle cuise à couvert. Enfournez pendant 10 min à 180 °C. Servez chaud.

Michel Philibert
Le Saule Pleureur
84170 Monteux

Raviolis de truffes aux poireaux

Pour 6 personnes

300 g de ris de veau, 4 poireaux, 1 carotte, 1 oignon, 1 boule de céleri-rave, 60 g de truffes, 25 cl de jus de truffes, 100 g de beurre, 25 cl de crème fraîche, 20 cl de vin blanc, thym, laurier, sel et poivre

Pour la pâte à raviolis : 400 g de farine, 15 g de sel, 4 œufs entiers, 5 jaunes d'œufs

Travaillez ensemble tous les ingrédients de la pâte. Laissez reposer 2 h.

Faites dégorger les ris de veau à l'eau froide, puis blanchissez-les. Ôtez les membranes qui les entourent. Dans une casserole, colorez-les au beurre avec l'oignon, la carotte et le céleri, mouillez au vin blanc. Finissez la cuisson au four, à couvert. Laissez-les refroidir et coupez-les en petits dés.

Faites cuire les blancs de poireaux taillés en petits cubes, dans un peu d'eau salée et de beurre. Mettez à cuire le vert des poireaux dans 50 cl d'eau pendant 30 min. Mixez, passez au chinois, ajoutez la crème fraîche et le beurre. Laissez réduire cette sauce, incorporez le jus de truffes au dernier moment.

Étendez la pâte très finement. Découpez-la en raviolis. Dorez-les à l'œuf battu et garnissez chacun avec 1 lamelle de truffe, 1 dé de ris de veau braisé et 1 cuillerée à café de poireau cuit. Assaisonnez et refermez les abaisses. Faites cuire 5 min dans de l'eau très salée, égouttez-les, puis trempez-les dans la sauce.

Sur des assiettes creuses, servez les raviolis chauds recouverts de sauce, en les décorant avec des lamelles de truffe et de la ciboulette hachée.

Jean-André Charial
Oustaù de Baumanière
13520 Les Baux-de-Provence

Raviolis d'artichaut provençal et de fromage de chèvre doux, à la coriandre

Pour 4 personnes
250 g de pâte à ravioli (pâte chinoise), 6 à 8 petits artichauts, 4 crottins de chèvre demi-secs, 1 œuf, 30 g de parmesan, 1 échalote hachée, 15 grains de coriandre, 1 botte de coriandre fraîche, huile d'olive vierge, sel et poivre du moulin

Tournez et coupez en dés les fonds des petits artichauts. Faites-les sauter à la poêle avec l'huile d'olive et les grains de coriandre concassés. À mi-cuisson, ajoutez l'échalote hachée, salez et poivrez. Au dernier moment, incorporez la coriandre fraîche ciselée (réservez-en un peu pour la finition). Laissez refroidir.
Coupez les crottins en dés de 1 cm de côté, puis mélangez-les aux artichauts. Enveloppez l'ensemble dans la pâte à ravioli, soudez à l'œuf battu et découpez à l'emporte-pièce (environ 4 pièces par personne).
Pochez les raviolis dans de l'eau frémissante, pendant 4 min. Égouttez-les et dressez-les sur des assiettes. Saupoudrez de parmesan, puis passez légèrement au four ou sous le gril. Servez avec un filet d'huile d'olive et de la coriandre fraîche finement ciselée.

Éric Coisel
La Mirande
84000 Avignon

Harmonie de légumes rafraîchis

Pour 6 personnes

À préparer la veille

18 petits artichauts violets, 12 carottes avec fanes, 12 têtes de gros champignons de Paris, 12 petits oignons frais, 1 kg de fèves fraîches, 6 tomates, 200 g de grosses olives noires dénoyautées, 12 gousses d'ail, 2 têtes de fenouil, 50 cl d'huile d'olive, 1 l de vin blanc, 2 l de bouillon de poule (pot-au-feu), 0,5 g de safran, 20 g de poivre noir grossièrement écrasé, sel, 1 feuille de laurier, cerfeuil

La veille, ébouillantez les fèves à l'eau salée pendant 3 min puis rafraîchissez-les à la glace. Épluchez et lavez tous les légumes. Coupez les carottes dans le sens de la longueur et chaque fenouil en 6 morceaux. Mondez les tomates, épépinez-les et coupez-les en huit.

Dans une grande marmite, faites blondir tous les légumes, sauf les fèves et les tomates, avec un peu d'huile d'olive. Assaisonnez de sel, de poivre, de laurier et des gousses d'ail non épluchées. Lorsque les légumes commencent à colorer, ajoutez le bouillon de poule et la moitié du safran. Laissez cuire à feu doux.

Dans une autre casserole, faites réduire aux trois quart le vin blanc et le reste du safran. À l'aide d'un couteau, vérifiez la cuisson de chaque variété de légumes. Lorsqu'ils sont cuits, retirez-les du feu, ajoutez le vin réduit, l'huile d'olive et rectifiez l'assaisonnement.
Laissez reposer 1 nuit au frais et ajoutez les olives, les fèves et les morceaux de tomates 1 h avant de servir. Dressez dans des assiettes creuses avec un peu de bouillon de cuisson des légumes et du cerfeuil.

Robert Lalleman
Auberge de Noves
13550 Noves

Tarte de légumes confits à l'huile d'olive

Pour 4 personnes
2 courgettes, 2 tomates, 2 aubergines, 200 g de potiron, 200 g de pâte feuilletée, huile d'olive, beurre, sel et poivre

Mondez les tomates et coupez-les, ainsi que les autres légumes, en rondelles régulières de 2 mm d'épaisseur.
Dans des moules individuels à revêtement Téflon, disposez 1 couche de tomates, autant de courgettes, puis d'aubergines, enfin de potiron en serrant le tout très fort afin d'en mettre le plus possible. Salez, poivrez et arrosez généreusement d'huile d'olive. Mettez au four pendant 3 h à 120 °C.
Découpez la pâte feuilletée en fonds de la taille des moules. Faites-les cuire à sec entre 2 plaques, afin qu'ils ne gonflent pas. Égouttez légèrement les légumes et ôtez l'excédent d'huile. Déposez les feuilletages sur les légumes confits, puis démoulez sur les assiettes. Servez très chaud, avec 1 noisette de beurre par personne.

Alain Ryon
Le Lingousto
83390 Cuers

Compotée de légumes

Pour 6 à 8 personnes
À préparer la veille
3 belles aubergines, 4 courgettes, 4 tomates bien mûres, 10 gousses d'ail, 6 à 8 échalotes, 200 g d'olives noires dénoyautées, 3 filets d'anchois, 1 cuillerée à soupe de câpres, 6 feuilles de basilic, cerfeuil, fleur de sel, poivre concassé, huile d'olive, huile d'arachide, vinaigre, sucre, sel

La veille, épluchez les aubergines entièrement, puis les courgettes en laissant une partie de leur peau. Mettez à cuire ces légumes à four doux pendant 2 h avec de l'huile d'olive et de l'huile d'arachide. Pendant ce temps, faites confire une partie de l'ail et toutes les échalotes épluchées, à feu très doux, avec un peu d'huile d'olive et 1 pincée de sucre. Mondez les tomates, épépinez-les et passez-les à la poêle dans un fond d'huile d'olive. Pilez au mortier le restant d'ail avec le basilic, en y incorporant les olives, les anchois, les câpres et un peu d'huile d'olive. Rectifiez l'assaisonnement.
Placez un papier-film sur les parois d'une terrine. Mélangez tous les légumes et la préparation pilée. Mettez le mélange dans la terrine et pressez légèrement. Gardez 12 h au frais.
Lorsque vous démoulerez cette compotée, vous pourrez la servir sous forme de quenelles, avec de la fleur de sel, du poivre concassé, du cerfeuil et du vinaigre.

Brunel
84000 Avignon

Fricassée de jeunes légumes aux copeaux de parmesan, chiffonnade de basilic

Pour 4 personnes

4 artichauts violets, 4 belles asperges, 4 échalotes, 300 g de fèvettes fraîches, 150 g de haricots verts extra-fins, 100 g de pois mange-tout, 1 branche d'estragon, 1 botte de ciboulette, 1 botte de basilic, 10 cl d'huile d'olive vierge, 50 g de parmesan en copeaux, sel et poivre

Pour le jus de volaille : 2 carcasses de poulet, 1 carotte, 1 oignon, 1 bouquet garni, 1 cuillerée à soupe d'huile d'olive, 100 g de beurre

Faites revenir dans l'huile les carcasses concassées de poulet, avec la carotte, l'oignon et le bouquet garni. Mouillez à hauteur avec de l'eau et laissez cuire 1 h environ. Passez au chinois, remettez sur le feu et laissez réduire doucement jusqu'à obtenir une consistance de demi-glace. Assaisonnez et montez le jus de volaille au beurre. Réservez au bain-marie.

Épluchez les légumes et faites-les cuire séparément à l'eau bouillante très salée, en les gardant légèrement croquants. Puis, faites-les suer à l'huile d'olive. Ajoutez l'estragon et la ciboulette ciselée. Salez et poivrez.
Séparez toutes les feuilles de basilic. Empilez-les les unes sur les autres, par paquet de 6 ou 8, roulez-les comme des petits boudins et ciselez-les finement.
Dans des assiettes creuses, dressez la fricassée de légumes, nappez de jus de volaille, parsemez de parmesan et de chiffonnade de basilic.

Christian Métral
Auberge du Jarrier
06410 Biot

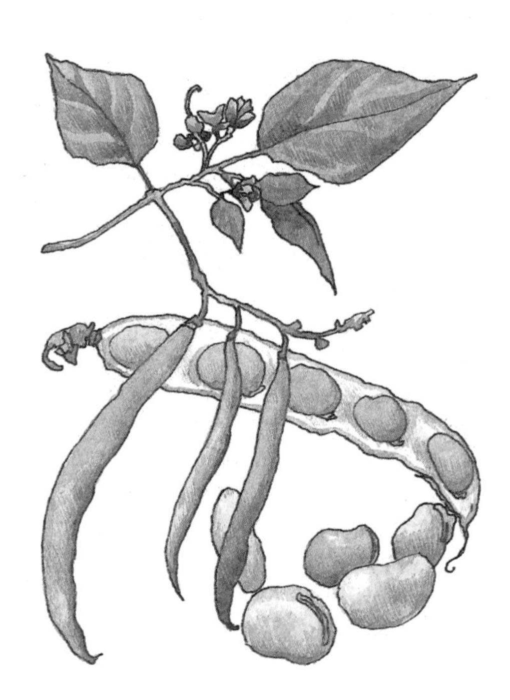

Barigoule d'asperges vertes sauvages « Castel Lumière »

Pour 4 personnes

2 kg d'asperges vertes, 250 g de lard salé et fumé, 1 botte de petits oignons nouveaux, 4 petites carottes nouvelles, 2 branches de persil plat, 1 bouquet garni, 1 cuillerée à soupe de grains de coriandre, 2 feuilles de sauge, 1 pincée de safran, 45 cl de vin de Bandol blanc, 1 verre de fond blanc, 3 cuillerées à soupe d'huile d'olive, poivre

Découpez le lard en petits lardons que vous faites blanchir. Émincez finement les carottes. Épluchez les petits oignons en conservant du vert et émincez-les. Épluchez les asperges et coupez-les aux deux tiers pour ne conserver que la partie tendre.

Dans une cocotte en fonte, faites chauffer l'huile puis ajoutez les oignons, les carottes et les lardons. Laissez cuire doucement 5 min, puis ajoutez les asperges. Versez le fond blanc et le vin blanc, ajoutez le bouquet garni, la coriandre, la sauge et un peu de poivre. Faites cuire 9 min, en couvrant aux trois quarts pour maintenir une légère ébullition. Peu de temps avant la fin de la cuisson, ajoutez le safran et le persil grossièrement haché. Rectifiez l'assaisonnement et servez très chaud ou bien froid.

Bernard Laffargue
Castel Lumière
83330 Le Castellet

Morue fraîche et brandade en ballotin, sauce vierge

Pour 4 personnes
200 g de morue fraîche taillée en fines escalopes,
200 g de brandade de morue, 500 g d'épinards frais en branche,
4 tomates bien rouges et bien mûres, 1 branche de basilic,
1 cuillerée à soupe d'huile d'olive, sel et poivre

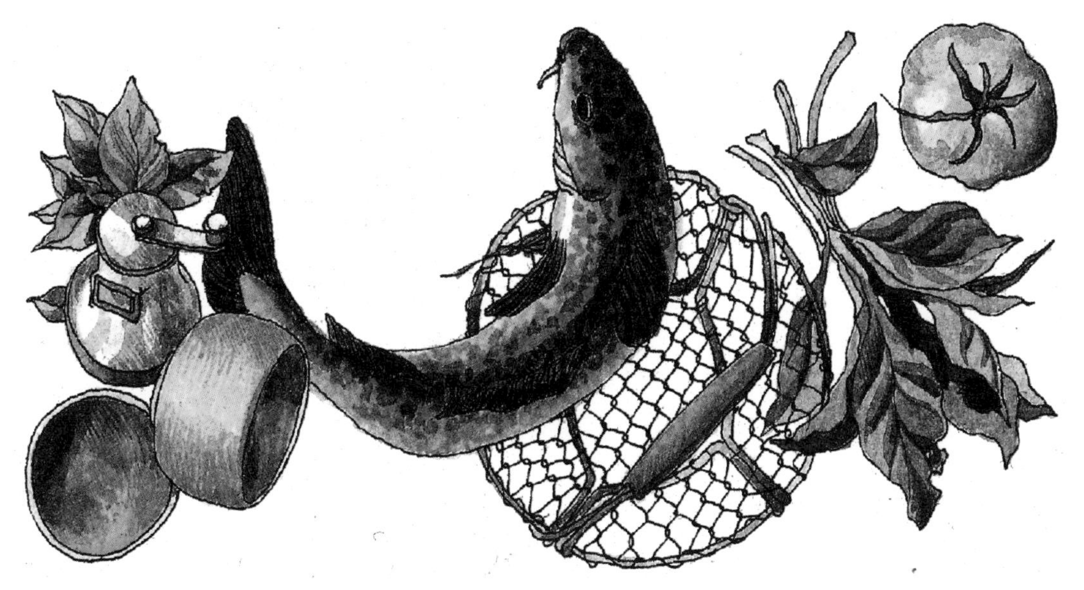

Tapissez 4 ramequins de 6 cm de diamètre et de 4 cm de hauteur avec les escalopes de morue fraîche, en les faisant dépasser sur les bords. Salez et poivrez légèrement. Couvrez les escalopes de morue de feuilles d'épinards, préalablement blanchies 2 min et rafraîchies. Mettez la brandade dans les ramequins et rabattez dessus les feuilles d'épinards et les escalopes de morue fraîche.
Faites compoter à feu doux les tomates pelées et épépinées, puis coupez-les en petits cubes. Assaisonnez d'huile d'olive, de sel et de poivre et laissez encore compoter quelques minutes. Ciselez les feuilles de basilic, mélangez-les à la sauce et conservez au chaud.
Déposez les ramequins dans un couscoussier et faites-les cuire à la vapeur 8 min environ. Démoulez sur un papier absorbant, dressez sur des assiettes chaudes et nappez de sauce.

Guy Villenueva
La Vaunage
30870 Saint-Côme

Velouté glacé de tomates à l'effeuillée de morue douce

Pour 8 personnes

À préparer 3 jours à l'avance

1 kg de tomates mûres, 24 petites tomates cerise, 500 g de morue salée, 5 filets d'anchois, 10 cl d'huile d'olive, le jus d'1/2 citron, 10 cl de lait, 1 brin de thym, laurier, 5 feuilles de basilic, 2 gousses d'ail, 8 grains de coriandre

Trois jours à l'avance, mettez la morue à dessaler dans de l'eau froide en prenant soin de changer l'eau deux fois par jour.
La veille, coupez les tomates en quatre et mettez-les à mariner toute la nuit avec la coriandre, les anchois, l'huile d'olive et le jus de citron.
Le jour même, faites bouillir le lait avec l'ail, le thym et le laurier. Dès les premiers bouillons, plongez la morue dedans et coupez le feu. Laissez refroidir, égouttez et retirez la peau du poisson. Mixez les tomates avec la marinade et réservez au frais.
Émincez la morue et disposez les morceaux dans des assiettes creuses avec les tomates cerise, le basilic émincé et le velouté de tomates. Servez très frais.

Philippe Audibert
Byblos – Les Arcades
83990 Saint-Tropez

Filets de rougets à la pâte d'olives, millefeuille de pommes de terre

Pour 6 personnes
12 rougets de 80 à 100 g chacun, 3 pommes de terre charlotte, 2 ou 3 artichauts épineux, 2 ou 3 petits piments, 1/2 tête d'ail, 6 tomates, 15 cl d'huile d'olive vierge, 1/2 botte de basilic, 1 botte de thym, 2 feuilles de laurier, 30 g de pâte d'olive

Écaillez les rougets, levez les filets et retirez soigneusement les arêtes. Faites cuire les artichauts dans de l'eau bouillante salée. Récupérez la chair des feuilles et mélangez-la avec les cœurs, en les écrasant à l'aide d'une fourchette. Assaisonnez d'un peu d'huile et de basilic ciselé. Faites sécher les tomates coupées en tranches, au four à 90 °C, pendant 2 h 30 avec un peu d'huile, d'ail, de thym et de laurier. Mettez à infuser les piments dans 7,5 cl d'huile d'olive avec du thym, du laurier et de l'ail. Coupez finement les pommes de terre et dorez-les à l'huile.
Faites revenir les filets de rougets à la poêle. Superposez les filets en intercalant une fine couche de pâte d'olive. Montez le mille-feuille de pommes de terre en intercalant la purée d'artichauts et les tomates mi-séchées.
Dressez en arrosant d'un filet d'huile au piment et décorez avec 1 feuille de basilic par assiette.

Dominique Le Stanc
Negresco
06000 Nice

Petite salade de rougets marinés à la provençale

Pour 6 personnes

9 rougets de roche, 3 tomates, 2 poivrons rouges, mesclun, ciboulette, basilic, jus d'1 citron, 1 cuillerée à soupe de vinaigre de vin, huile d'olive, 250 g de gros sel, sel et poivre

Écaillez les rougets et détaillez-les en filets sans retirer la peau. À l'aide d'une pince à épiler, retirez soigneusement les arêtes. Recouvrez les filets de gros sel et laissez reposer 10 min, puis retirez le sel et mettez-les à dessaler à l'eau claire. Essorez soigneusement les filets à l'aide d'un papier absorbant puis, sur une plaque très chaude, faites-les griller côté peau à peine 5 ou 6 s (sans les laisser cuire). Taillez dedans des tranches très fines et réservez au frais.

Pour la marinade, faites fondre un peu de sel fin dans le jus de citron et le vinaigre. Ajoutez un peu d'huile d'olive, 1 pincée de poivre et de la ciboulette ciselée. Vérifiez l'assaisonnement. Réservez la moitié de cette marinade pour assaisonner la salade, et faites mariner 10 min les escalopes de rouget dans l'autre moitié. Coupez les tomates en deux, puis en fines tranches. Disposez les tranches sur les parois d'un plat rond de petit diamètre. Ajoutez la salade assaisonnée avec le basilic et tassez légèrement. Disposez ensuite les escalopes de rouget et décorez avec des losanges de poivrons rouges. Servez très frais.

Antoine Biancone
Hostellerie Les Frênes
84140 Avignon-Montfavet

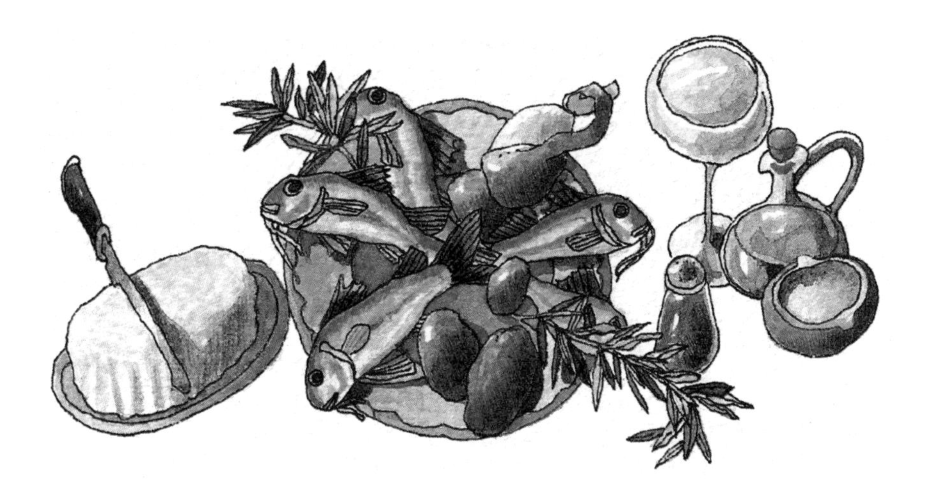

Filets de rougets en verdurette

Pour 4 personnes
4 rougets (100 à 120 g pièce), 100 g de dés de tomates, 2 bouquets de basilic, huile d'olive, 20 cl d'huile verdurette (huile d'olive avec herbes marinées, sauf ciboulette), jus d'1 citron, fines herbes, cerfeuil, persil frisé, sel et poivre

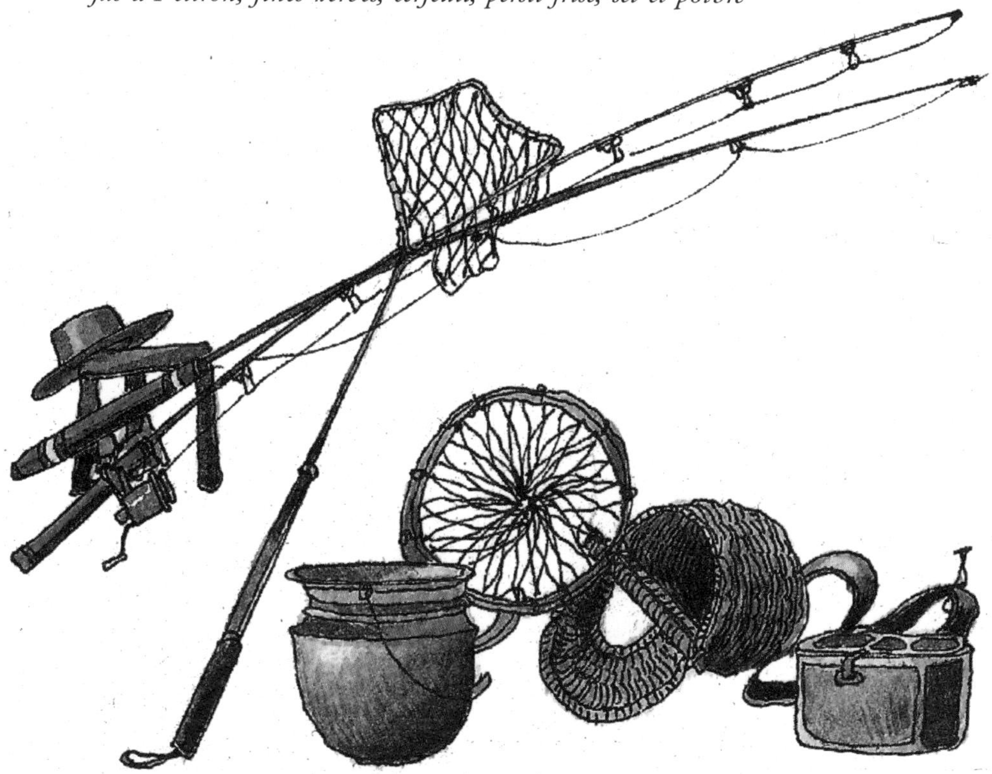

Écaillez les rougets, levez les filets et retirez soigneusement les arêtes. Mettez-les sur une plaque, arrosez-les d'huile d'olive sur chaque face, salez et poivrez. Passez très rapidement au four à 300 °C.
Dans une petite casserole que vous faites tiédir, mélangez les dés de tomates, le basilic ciselé, le jus de citron, l'huile verdurette, du sel et du poivre.
Dressez au fond de chaque assiette la sauce verdurette. Posez harmonieusement les filets de rougets. Saupoudrez de fines herbes et décorez de cerfeuil et de persil.

Dominique Ferrière
Château Saint-Martin
06140 Vence

Tian de saumon mariné à la brousse, vinaigrette d'huile d'olive

Pour 4 personnes

À préparer 24 h à l'avance

280 g de saumon en tranches, 250 g de brousse, 10 cl de crème liquide, 1/2 botte de ciboulette, 1/2 botte de cerfeuil, 2 citrons, 80 g de carottes, 80 g de fenouil, 20 g de poivron rouge, 80 g de courgettes, huile d'olive, gros sel, sel et poivre

La veille, mettez le saumon dans du gros sel pendant 12 h. Rincez-le bien. Couvrez-le d'huile d'olive, du jus d'1 citron, poivrez, puis laissez mariner 12 h.

Le jour même, battez énergiquement la brousse avec la crème liquide. Salez et poivrez. Incorporez une partie de la ciboulette ciselée. Dans un cercle de 9 cm de diamètre, mettez 1 tranche de saumon mariné, puis un peu de brousse, et ainsi de suite sur 3 étages, en finissant par le saumon. Réservez au frais.

Taillez les légumes en fine brunoise. Faites-les blanchir.

Mélangez soigneusement l'huile d'olive, le jus de citron, le sel et le poivre. Ajoutez, à cette vinaigrette, la brunoise et le reste de ciboulette ciselée.

Dressez le tian de saumon au centre du plat, en le nappant de la vinaigrette à la brunoise. Décorez de quelques pluches de cerfeuil.

Thierry Bernet
Les Palmiers
06400 Cannes

Millefeuille de saumon aux épinards et à l'huile d'olive

Pour 5 personnes
1,5 kg de saumon, 1,5 kg d'épinards, 250 g de beurre, 5 cl de crème fraîche, 1/2 gousse d'ail, 1 pincée de curry, sel et poivre

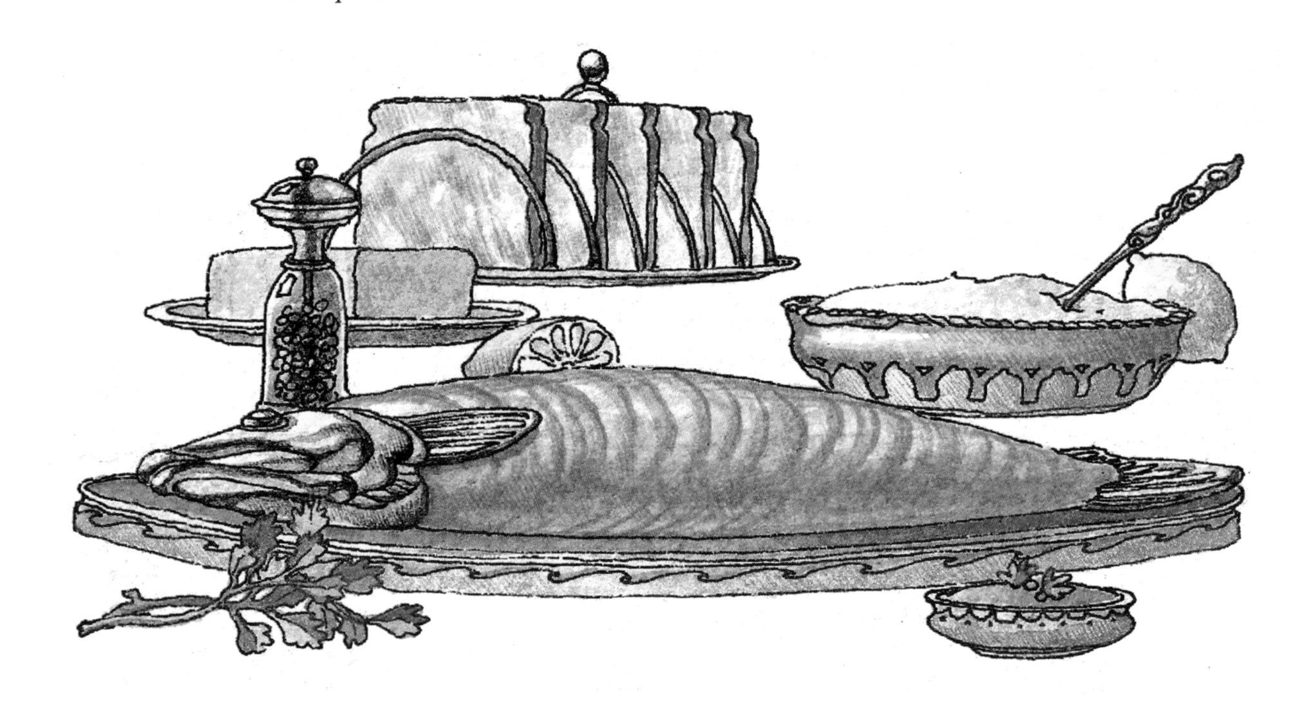

Levez les filets de saumon. Découpez-les en ronds de la taille des moules individuels que vous utilisez (le diamètre idéal est de 6 cm). Mettez les épinards à cuire avec l'ail, du sel et du poivre dans de l'eau bouillante, pendant 5 min.
Dans chaque moule, disposez 1 tranche ronde de saumon, 1 couche d'épinards, et ainsi de suite jusqu'au remplissage du moule, en terminant par les épinards. Cuisez à la vapeur pendant 10 min.
Faites bouillir la crème fraîche, puis montez-la au beurre. Ajoutez le curry, du sel et du poivre. Démoulez le millefeuille sur l'assiette et servez-le avec le beurre monté.

Pascal Morel
Abbaye de Sainte-Croix
13300 Salon-de-Provence

Pressée de thon aux tomates séchées et au basilic

Pour 8 personnes

À préparer 3 jours à l'avance

1 kg de thon de Méditerranée, 2 kg de tomates roma, 250 g d'olives noires, 200 g de tapenade, 1 botte de basilic (petites feuilles), laurier, 3 feuilles de gélatine, 50 cl d'huile d'olive, sel de Guérande, sel et poivre

Trois jours à l'avance, faites dégorger le thon pendant 24 h à l'eau froide.

L'avant-veille, mondez les tomates, coupez-les en deux et épépinez-les (conservez la pulpe et les pépins). Assaisonnez-les de sel, de poivre et d'un peu d'huile d'olive. Asséchez-les au soleil avec le laurier pendant la journée (ou passez-les avec le laurier au four à 50 °C pendant 5 à 6 h).

Coupez le thon en morceaux que vous plongez dans de l'huile d'olive à 40 °C, laissez confire 4 h, puis mariner dans un endroit très frais, toute la nuit.

La veille, coupez les olives en salpicon.

Écrasez soigneusement et passez au chinois la pulpe et les pépins de tomates. Incorporez 3 feuilles de gélatine préalablement détrempées et rectifiez l'assaisonnement.

Dans une terrine, disposez 1 couche de gelée de tomates, les tomates séchées, 1 couche de thon, puis le salpicon d'olives. Nappez de gelée de tomates, ajoutez 1 couche de thon, parsemez de basilic et d'olives, et ainsi de suite. Mettez le tout sous presse et réservez 1 nuit au réfrigérateur.

Au moment de servir, découpez en tranches et nappez de quelques gouttes d'huile d'olive et de sel de Guérande. Servez glacé avec des tartines de tapenade.

Jean-Marc Banzo
Le Clos de la Violette
13100 Aix-en-Provence

Feuilletés d'anchois au basilic

Pour 4 personnes
500 g de filets d'anchois frais, 400 g de tomates, 200 g de pâte feuilletée, 30 cl d'huile d'olive, 4 gousses d'ail, 60 g de basilic, 1 citron, gros sel

Lavez les filets d'anchois. Mettez-les à macérer pendant 2 h dans de l'huile d'olive, le jus du citron, le basilic ciselé et l'ail pressé. Mondez les tomates et coupez-les en petits dés. Abaissez soigneusement la pâte feuilletée. Découpez-la en 12 disques que vous faites cuire au four à 210 °C, afin qu'ils soient bien croustillants. Superposez 1 disque de pâte feuilletée, des dés de tomates et des filets d'anchois. Assaisonnez d'huile d'olive et de gros sel. Renouvelez cette superposition, puis terminez par 1 disque décoré de dés de tomates et de basilic.

Francis Robin
Le Mas du Soleil
13300 Salon-de-Provence

Gâteau d'anchois frais et compote de tomates vertes

Pour 4 personnes

400 g de filets d'anchois, 2 kg de tomates vertes, 2 cœurs d'artichauts, 2 échalotes, 10 cl d'huile d'olive, 50 g de beurre, 2 cuillerées à soupe de crème fraîche, sel et poivre

Pour la présentation : tomate concassée, basilic, poireau, pommes de terre, huile d'olive

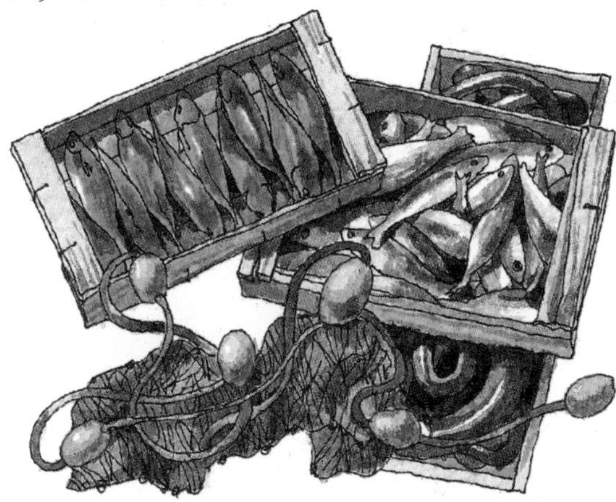

Coupez les tomates en quatre sans les peler. Épépinez-les et faites-les suer dans l'huile d'olive, avec les échalotes et les cœurs d'artichauts, à feu doux, pendant 1 h environ. Mixez et passez au tamis. Ajoutez la crème fraîche et le beurre et rectifiez l'assaisonnement de cette compote.

Coupez les filets d'anchois en deux. Huilez une petite feuille de papier cuisson. Placez dessus un cercle de 10 cm de diamètre et disposez les filets en rosace. Assaisonnez, puis faites cuire 4 min au four à 180 °C.

Sur une assiette chaude, déposez le cercle, moulez la compote et glissez la rosace d'anchois.

Vous pouvez finir de la façon suivante : au centre du gâteau, mettez 1 cuillerée à café de tomate concassée et quelques feuilles de basilic frit ; autour, disposez 5 losanges de feuilles de poireau blanchi et 5 petites chips de pommes de terre. Entourez d'un filet d'huile d'olive.

Antoine Cadinu
La Mer
20000 Ajaccio

Nage de langoustines au cumin

Pour 6 personnes
1,5 kg de langoustines (calibre 12/20), 300 g de carottes, 300 g d'oignons, 30 g de beurre, 2 cl d'huile d'olive, 20 cl d'eau, 5 cl de muscat, cumin moulu, sel et poivre, verdure (pour la présentation)

Décortiquez les langoustines à cru et réservez-les au frais.
Épluchez les carottes et les oignons et émincez-les. Faites-les suer à petit feu pendant une dizaine de minutes. Déglacez au muscat et à l'eau, puis remettez à cuire afin de réduire de moitié. Montez au beurre et assaisonnez de sel, de poivre et de cumin. Réservez la nage de légumes au chaud.
Chauffez une poêle avec l'huile d'olive. Assaisonnez les langoustines et faites-les cuire très rapidement (1 min par côté) dans la poêle.
Dans des assiettes creuses, mettez la nage de légumes puis dressez les langoustines en rosace. Décorez d'un peu de verdure.

Jean-Michel Bonnet
La Villa
20260 Calvi

Langoustines grillées aux légumes de ratatouille et à l'œuf cassé

Pour 4 personnes

À préparer la veille

16 queues de langoustines, 4 œufs, 1 aubergine, 1 courgette, 1 poivron rouge, 1 poivron vert, 4 tomates, 2 cuillerées à soupe de vinaigre, basilic, huile d'olive, sel et poivre

La veille, coupez l'aubergine et la courgette en lamelles de 3 mm. Épluchez les poivrons et coupez-les en lanières. Faites griller les légumes au four à 220 °C, puis mettez-les à mariner toute la nuit, dans un plat avec de l'huile d'olive et du basilic.

Le jour même, égouttez les légumes et faites-les chauffer doucement avec du sel et du poivre. Pochez les œufs dans de l'eau bouillante vinaigrée et gardez-les au chaud.

Faites griller les langoustines au four.

Mondez les tomates et coupez-les en dés.

Dans chaque assiette, disposez les légumes et les langoustines en les intercalant. Posez 1 œuf au centre et pratiquez une petite incision pour faire couler le jaune. Parsemez de dés de tomates, ajoutez un filet d'huile d'olive et 1 feuille de basilic.

Servez aussitôt.

Élie Mazot
Château de la Chèvre d'Or
06360 Èze

Crêpe d'herbes fraîches et brocciu, poêlée de langoustines au thym

Pour 4 personnes

1,2 kg de langoustines (16 belles pièces décortiquées), 1 cuillerée à soupe de brocciu, 8 œufs, vinaigrette à l'huile d'olive, citron, sel et poivre, 1 cuillerée à café des ingrédients suivants : thym, marjolaine, menthe, oseille, estragon, farigoulette, tomate, anchois, poivron confit

Pour la salade d'herbes : 1 bouquet de menthe, 1 bouquet de basilic, 1 bouquet de coriandre, 1 bouquet de cerfeuil

Ciselez toutes les herbes. Coupez le brocciu en petits dés et cassez les œufs par-dessus. Battez ce mélange à la fourchette, pour le rendre homogène.
Confectionnez, avec cette préparation, des crêpes aux herbes fraîches de 1 cm d'épaisseur, que vous gardez bien moelleuses.
Montez la vinaigrette à l'huile d'olive avec le jus du citron, du sel, du poivre, des dés de tomate mondée, des anchois et du poivron confit.
Poêlez vivement les langoustines et dressez-les en étoile sur les crêpes. Entourez de vinaigrette. Servez avec la salade d'herbes effeuillées et grossièrement coupées.

Georges Billon
Grand Hôtel de Cala Rossa
20137 Lecci (Porto-Vecchio)

Consommé de Saint-Jacques et d'huîtres aux poireaux

Pour 4 personnes
12 noix de coquilles Saint-Jacques, 16 huîtres, 50 g de blanc de poireau, 50 g de beurre, 10 cl de vin blanc, sel et poivre blanc

Nettoyez soigneusement les Saint-Jacques. Taillez en julienne le blanc de poireau et faites-le revenir dans une casserole, avec le beurre et le vin blanc. Laissez cuire 3 min, puis ajoutez les Saint-Jacques. Poursuivez la cuisson 1 min, puis retirez les noix de la casserole. Réservez le fumet au chaud.
Ouvrez les huîtres et filtrez soigneusement leur eau. Ajoutez-les avec leur eau filtrée, ainsi que les Saint-Jacques, dans la casserole contenant le fumet. Faites chauffer pendant 2 min, sans porter à ébullition.
Servez le tout dans une soupière.

Laurent Sciré
Auberge Saint Vincent-Verdi
83140 Six-Fours-les-Plages

Rosace de coquilles Saint-Jacques aux pointes d'asperges et au curcuma

Pour 4 personnes

12 belles noix de coquilles Saint-Jacques, 24 asperges (vertes, de préférence)

Pour la sauce : 4 échalotes hachées, 20 cl de vin blanc, 25 cl de crème liquide, le jus de 2 citrons, 4 pincées de curcuma

Faites cuire les asperges 10 min à l'eau bouillante salée, et refroidissez-les aussitôt pour que les pointes restent bien vertes. Égouttez-les et coupez les pointes à 5 cm. Réservez le reste que vous coupez en tronçons d'environ 5 mm.

Faites réduire les échalotes dans le vin blanc et ajoutez la crème liquide. Laissez épaissir 2 min puis ajoutez le curcuma et le jus des citrons. Réservez cette sauce au chaud. Coupez les noix de Saint-Jacques en deux, afin d'obtenir des rondelles que vous faites revenir à feu vif dans une poêle antiadhésive.

Au milieu de chaque assiette, dressez en dôme les petits tronçons d'asperges, réchauffés dans un peu de sauce. Nappez le fond des assiettes avec le reste de la sauce. Disposez les rondelles de Saint-Jacques et les pointes d'asperges en les intercalant.

Alain Rembeault
Le Mas des Herbes Blanches
84220 Joucas

Gratin de clovisses aux épinards

Pour 6 personnes
3 kg de clovisses, 25 cl de crème liquide, 300 g d'épinards cuits et blanchis, 1 échalote, 10 cl de vin blanc, 50 g de beurre

Ouvrez les clovisses à feu vif dans une casserole couverte, avec 30 cl d'eau. Décoquillez-les, rincez-les à l'eau claire et égouttez-les. Filtrez le jus de cuisson et réservez-le.
Dans 10 g de beurre, faites revenir l'échalote hachée. Ajoutez le vin blanc et 20 cl de jus de cuisson. Faites réduire de moitié, incorporez la crème liquide et réduisez encore de moitié.
Dans une sauteuse, faites fondre le reste de beurre et ajoutez les épinards pour bien les sécher. Mélangez-les à un tiers de la sauce obtenue.
Disposez les épinards dans un plat à gratin et, par-dessus, les clovisses mélangées au reste de la sauce. Gratinez 15 min à four chaud. Servez dès la sortie du four.

André Chaussy
Hiély-Lucullus
84000 Avignon

Gratin de moules de Bouzigues aux épinards

Pour 4 personnes
4 kg de moules de Bouzigues de taille moyenne, 3 jaunes d'œufs, 125 g d'épinards frais, 40 cl de vin blanc sec, oignon haché, queues de persil, 40 g de farine, 50 g de beurre, crème liquide

Nettoyez soigneusement les moules et faites-les ouvrir à la casserole avec du vin blanc sec, l'oignon et les queues de persil. Décoquillez-les, récupérez le jus de cuisson et filtrez-le.
Préparez un roux avec la farine et le beurre. Montez-le avec 2/3 de volume du jus de cuisson des moules pour 1/3 de crème liquide. Fouettez les jaunes d'œufs en sabayon avec 1 cuillerée à café d'eau. Faites cuire les épinards à l'eau bouillante, puis rafraîchissez-les. Dans des plats individuels, dressez les gratins en superposant les moules, les épinards grossièrement hachés, le sabayon et la sauce. Dorez légèrement au four, en position gril. Servez bien chaud.

Jean-Pierre Michel
La Régalido
13990 Fontvieille

Moules farcies à la provençale

Pour 4 personnes

2 kg de moules de bouchots, 500 g de beurre, 100 g de mie de pain émiettée, 10 cl de crème épaisse, 1 bouquet de persil plat, 1 bouquet de ciboulette, 4 gousses d'ail, sel et poivre

Nettoyez soigneusement les moules et faites-les ouvrir à la vapeur dans une casserole. Décoquillez-les seulement à moitié, en conservant la coquille à laquelle la moule est attachée.
Hachez le persil, la ciboulette, l'ail et quelques moules. Mélangez le hachis avec le beurre ramolli à température ambiante, la crème épaisse et la mie de pain. Salez légèrement et poivrez.
Remplissez les moules avec la farce, puis passez-les au four à température moyenne, pendant 5 min environ.
Servez dès la sortie du four.

Michel Hebreard
L'Amiral
83120 Sainte-Maxime

Aïgo de calmars et de moules

Pour 4 personnes
1 l de moules, 200 g de calmars crus finement émincés,
50 g de carotte, 50 g de fenouil, 50 g de navet,
50 g de courgette, 1 gousse d'ail, 4 feuilles de basilic,
1 l de fond blanc

Taillez les carottes, le fenouil, les navets et les courgettes en dés. Faites-les suer à feu doux pendant une dizaine de minutes. Mouillez avec le fond blanc et laissez cuire.
Une fois les légumes cuits, ajoutez l'ail écrasé et le basilic émincé.
Nettoyez soigneusement les moules, faites-les cuire dans une casserole et décoquillez-les.
Dans le fond des assiettes, dressez les calmars émincés et les moules. Versez dessus le bouillon de légumes brûlant et servez immédiatement.

Christian Étienne
84000 Avignon

POISSONS

Bar préparé à l'ail

Pour 4 personnes
1 bar de 1,5 kg, 400 g de pommes de terre (type belle de Fontenay), 70 g d'ail en chemise, 20 cl d'huile d'olive, 75 g de beurre, 1 botte de cive, thym, sel de Guérande, poivre concassé

Écaillez et videz le bar. Assaisonnez-le avec du sel de Guérande, du poivre concassé, 1 branche de thym et 1 gousse d'ail en chemise.
Épluchez et faites rôtir les pommes de terre à l'huile d'olive, pendant 5 min. Assaisonnez-les et déglacez au beurre frais. Ajoutez aux pommes de terre le reste de l'ail et la cive, puis débarrassez dans un plat de service allant au four et déposez le bar dessus.
Mettez à cuire au four à 180 °C, pendant 15 à 20 min, en arrosant régulièrement.
Servez directement dans le plat.

Guy Krenzer
Villa de Belieu
83580 Gassin

Daurades royales en papillote à l'anis étoilé

Pour 4 personnes

4 daurades de 400 g chacune, 4 tomates, 20 g de gros sel (de Guérande ou de Noirmoutier), 1 citron, 4 cuillerées à soupe d'huile d'olive, 10 étoiles de badiane (anis étoilé)

Plongez les tomates quelques secondes dans l'eau bouillante, puis rafraîchissez-les pour les monder facilement. Coupez-les en quartiers et épépinez-les. Déposez-les sur une plaque, saupoudrez-les de 2 pincées de gros sel et de 2 étoiles de badiane concassées. Versez 2 cuillerées à soupe d'huile d'olive, puis laissez confire à four doux (120 °C), pendant 2 à 3 h. Les tomates sorties du four, montez le thermostat à 240 °C.

Nettoyez et videz les daurades. Placez chacune dans un morceau de papier aluminium. Ajoutez les tomates confites et quelques grains de gros sel. Sur chaque poisson, versez 1 cuillerée à café d'huile d'olive, du jus de citron et posez 2 étoiles de badiane. Pliez les feuilles d'aluminium en chausson et fermez bien les papillotes. Faites-les cuire à four chaud pendant 15 à 18 min.
Servez les papillotes juste après en avoir découpé le dessus aux ciseaux.

Christian Métral
Auberge du Jarrier
06410 Biot

Paupiettes de denti en croûte de pommes de terre au basilic

Pour 4 personnes
4 pavés de denti de 140 g chacun, 4 pommes de terre, 100 g de céleri rave, 1 jaune d'œuf, 2 échalotes, 25 cl de vin blanc, 20 cl de fumet de poisson, 50 cl de crème fraîche, 100 g de beurre, 4 cuillerées à soupe de tomates concassées, basilic ciselé, feuilles de basilic, sel et poivre

Râpez les pommes de terre et le céleri. Mélangez-les avec le jaune d'œuf et 2 cuillerées à soupe de crème fraîche. Assaisonnez. Façonnez 4 galettes de 20 cm de diamètre que vous débarrassez sur un plateau. Aplatissez les pavés de denti et assaisonnez-les. Badigeonnez-les de basilic, roulez-les et enveloppez-les dans les galettes. Faites cuire ces paupiettes, avec du beurre, 10 min dans une sauteuse.
Émincez les échalotes et mouillez-les au vin blanc. Réduisez, ajoutez le fumet de poisson, faites réduire à nouveau, ajoutez le reste de crème fraîche et réduisez encore. Passez la sauce au chinois, montez-la au beurre, puis incorporez 2 cuillerées à café de basilic ciselé.
Sur des assiettes chaudes, disposez les paupiettes escalopées, les tomates concassées et un cordon de sauce. Vous pouvez décorer de feuilles de basilic frit.

Antoine Cadinu
La Mer
20000 Ajaccio

Gigot de mer pané aux herbes, pommes de terre et aïoli

Pour 4 personnes
2 queues de lottes de 800 g à 1 kg chacune, 600 g de mie de pain séchée ou de chapelure, 36 gousses d'ail (dont 24 pour la garniture), 12 pommes de terre (ratte ou roseval), 24 olives noires, 100 g de persil haché, 40 g de fleur de thym, 50 cl d'huile d'olive, 200 g de beurre
Pour l'aïoli : 4 à 6 gousses d'ail, 3 jaunes d'œufs, 1/2 l d'huile d'olive, 1 petite cuillerée de moutarde

Parez les queues de lottes et piquez-les des 12 gousses d'ail. Panez-les de mie de pain ou de chapelure mélangée à la fleur de thym. Mettez-les à cuire au four (180 °C), environ 20 min, avec de l'huile d'olive et du beurre, en arrosant régulièrement.
Pendant ce temps tournez les pommes de terre et épluchez les 24 gousses d'ail. Blanchissez les pommes de terre et l'ail ensemble, puis finissez de les faire cuire à l'huile d'olive. Aux trois quarts de la cuisson, ajoutez les olives.
Pour préparer l'aïoli, pilez l'ail, incorporez les jaunes d'œufs, la moutarde puis l'huile d'olive, en montant l'ensemble au fouet, comme une mayonnaise.
Sortez les queues de lotte du four. Dressez-les sur un plat, en disposant les pommes de terre autour. Servez la sauce aïoli à part.

Christian Étienne
84000 Avignon

Lotte rôtie à la fleur de thym, pousses d'épinards et coulis de poivrons rouges

Pour 4 personnes
1,5 kg de lotte, 300 g de pousses d'épinards, 3 demi-poivrons (rouge, jaune, vert), fleur de thym, olives noires séchées, 3 gousses d'ail, 30 g de beurre, huile d'olive, sel et poivre
Pour le coulis : 1/2 oignon, 300 g de poivrons rouges, huile d'olive, 10 cl d'eau, 30 cl de crème liquide, 80 g de beurre

Pour préparer le coulis, émincez l'oignon et les poivrons rouges. Faites-les chauffer dans une casserole avec de l'huile d'olive, puis ajoutez l'eau. Laissez mijoter 10 min avant d'ajouter la crème liquide. Laissez cuire encore 20 min à feu doux, puis mixez et passez au chinois. Finissez en incorporant le beurre.

Levez les filets de lotte, badigeonnez-les d'huile d'olive et de fleur de thym, puis réservez au frais. Épluchez et coupez les poivrons en grosse julienne. Faites-les cuire à l'anglaise, rafraîchissez-les et réservez-les. Vous les réchaufferez au moment de servir.
Salez et poivrez les filets de lotte. Colorez-les à la poêle avec de l'ail et de l'huile d'olive, puis finissez la cuisson à four chaud (environ 5 min). Réservez les filets sur un papier aluminium. Dans une casserole chauffée à blanc, faites cuire les épinards équeutés, en les remuant avec une fourchette piquée d'1 gousse d'ail. Ajoutez le beurre, salez et poivrez.
Dans le plat de service, dressez les épinards au centre, les filets de lotte dessus, puis la julienne de poivrons et quelques morceaux d'olives noires. Entourez du coulis de poivrons.

Christian Morisset
La Terrasse
06160 Juan-les-Pins

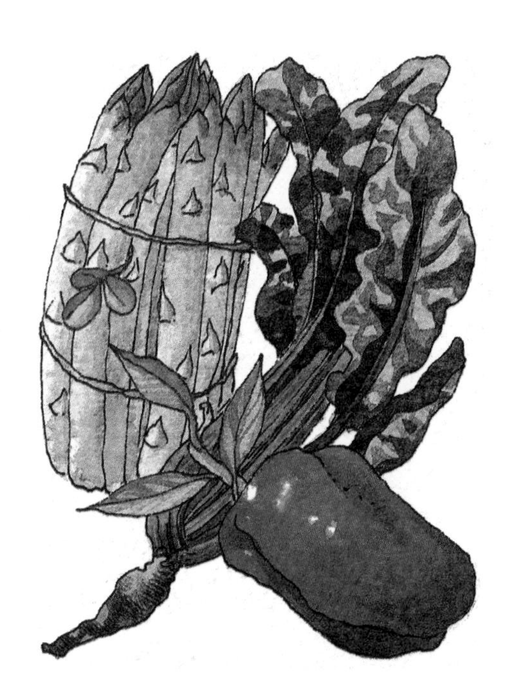

Filets de loup à la peau grillée, au basilic

Pour 4 personnes
1,5 kg de loup, 50 g de carottes, 50 g de courgettes, 50 g de haricots verts, 50 g de haricots blancs, 100 g de tomates, 1 bouquet de basilic, 2 gousses d'ail, parmesan râpé, fond de volaille, huile d'olive, sel et poivre

Écaillez le poisson, levez les filets sans enlever la peau et détaillez-les en morceaux de 170 g environ.
Coupez tous les légumes, sauf les tomates, en petite brunoise et faites-les cuire séparément dans le fond de volaille. Épépinez les tomates, coupez-les en dés et réservez-les. Pilez le basilic avec les gousses d'ail, jusqu'à obtention d'une purée. Mélangez cette purée à tous les légumes égouttés et aux dés de tomates.
Assaisonnez les morceaux de poisson et mettez-les à griller, côté peau, 3 à 4 min. Finissez la cuisson au four à 250 °C, pendant environ 5 min. En même temps, réchauffez à feu doux le pistou de légumes. Au moment de servir, ajoutez-lui un filet d'huile d'olive et 1 pincée de fromage râpé.

Antoine Biancone
Hostellerie Les Frênes
84140 Avignon-Montfavet

Filets de loup grillés, salade d'herbes au vinaigre balsamique

Pour 4 personnes
1 loup de 500 à 750 g, 200 g de pousses d'épinards, 500 g de pommes de terre belle de Fontenay (petites, de préférence), 1 bouquet de ciboulette, 1 bouquet de coriandre, 1 bouquet de persil plat, 1 bouquet de cerfeuil, quelques feuilles de basilic, vinaigre balsamique, huile d'olive, fleur de sel, sel

Faites cuire les pommes de terre dans de l'eau salée et réservez-les. Lavez et effeuillez les herbes, puis ciselez la ciboulette. Mélangez le tout avec les pousses d'épinards.
Levez et nettoyez les filets de loup. Retirez la peau et coupez-les en deux. Faites griller 1 min les morceaux de poisson sur les deux faces, puis terminez la cuisson pendant 3 min au four (180 °C). Épluchez et émincez les pommes de terre. Faites-les sauter vivement à l'huile d'olive. Assaisonnez la salade d'herbes avec du vinaigre, de l'huile et du sel.
Dans les assiettes, disposez les pommes de terre sur le bord, la salade d'herbes au centre et les morceaux de poisson dessus. Assaisonnez d'un trait de vinaigre, d'huile d'olive et de fleur de sel.

Philippe Audibert
Byblos – Les Arcades
83990 Saint-Tropez

Émincé de loup à l'huile d'olive

Pour 4 personnes
1 loup de 1,8 kg environ, 2 tomates, 2 courgettes, 1 verre d'huile d'olive, jus de citron, sel et poivre, mignonnette de poivre
Pour le fumet : carotte, oignon, poireau

Videz le loup, levez les filets et détaillez-les en escalopes. Préparez un fumet avec la tête, les arêtes et les légumes, puis passez-le au chinois.
Mondez les tomates et coupez-les en petits dés. Coupez les courgettes en petits dés et cuisez-les à l'eau.
Pochez les escalopes de poisson 3 min dans le fumet.
Dressez les escalopes sur des assiettes et ajoutez les dés de courgettes et de tomates. Versez dessus l'huile d'olive chauffée avec le jus de citron. Décorez de mignonnette de poivre. Servez aussitôt.

Lucien Giravalli
Au Jambon de Parme
13006 Marseille

Filets de rouget barbet en robe de poireau, émulsion d'huile d'olive

Pour 4 personnes
4 rougets barbet de 200 g chacun environ, 1 poireau, 3 jaunes d'œufs, huile d'olive (pression à froid), 10 g de gros sel, sel et poivre

Écaillez, lavez et détaillez en filets les rougets. Retirez les arêtes avec une pince à épiler. Arrosez les filets d'un peu d'huile d'olive et réservez-les au frais. Pour préparer le fumet, faites suer les arêtes et les parures de poisson dans un peu d'huile d'olive et mouillez d'eau à hauteur. Laissez bouillir 15 min, puis passez au chinois.
Lavez le poireau et effeuillez-le en bandes que vous faites blanchir 3 min à l'eau bouillante salée. Enrobez les filets de poisson avec ces bandes. Montez les jaunes d'œufs avec 2 cuillerées de fumet et, en fin d'émulsion, incorporez, en petits filets, 12,5 cl d'huile d'olive. Assaisonnez et réservez au bain-marie. Faites cuire très rapidement les filets de rouget à la vapeur du fumet restant.
Dressez en V sur des assiettes 2 filets de rouget par personne et posez au centre 1 cuillerée d'émulsion. Ajoutez 1 pincée de gros sel sur les rougets et servez.
Vous pouvez accompagner de pâtes fraîches parfumées aux foies des rougets, ou de tomates, de fenouil et d'olives concassés ensemble.

Franck Gomez
La Table du Comtat
84110 Séguret

Pistou provençal de rougets de roche aux petits épeautres du Ventoux

Pour 4 personnes

8 rougets, 100 g de petits épeautres, 2 carottes, 2 pommes de terre, 1 courgette, 1 poireau, 2 tomates, 100 g de haricots verts, 60 g de haricots blancs frais (cocos), 100 g de pois gourmands, 1 bouquet de basilic, huile d'olive, ail, sel et poivre

Épluchez et lavez tous les légumes. Coupez-les en petits dés, sauf les pois gourmands, puis faites-les revenir avec les épeautres et les haricots blancs dans 1 bonne cuillerée d'huile d'olive. Mouillez à hauteur et laissez cuire à feu doux.

Une fois les légumes cuits, égouttez-les et mixez le jus avec le basilic, une pointe d'ail et de l'huile d'olive. Salez et poivrez. Mélangez les légumes à leur jus. Réservez au chaud. Écaillez, lavez et détaillez en filets les rougets. Faites-les cuire à feu vif pendant 2 min dans 1 cuillerée d'huile d'olive.

Dressez le pistou dans des assiettes creuses et chaudes. Disposez dessus les filets de rougets en éventail.

Alain Nicolet
84460 Cheval-Blanc

Filets de saint-pierre aux olives

Pour 4 personnes
4 filets de saint-pierre de 140 g chacun, 20 g d'olives noires en julienne, 4 endives, 100 g de girolles émincées, 15 g de parmesan, 20 cl d'huile d'olive, 15 cl de jus de viande ou de volaille, cerfeuil

Faites poêler les filets de saint-pierre, d'un seul côté, dans l'huile d'olive. Débarrassez-les sur une assiette, en plaçant le côté cuit au-dessus. Dispersez la julienne d'olives sur le poisson, puis saupoudrez de parmesan.
Faites sauter les girolles émincées dans l'huile d'olive restante, puis ajoutez les endives, dont vous aurez supprimé les côtes.
Finissez la cuisson du poisson en le passant 3 min au gril.
Dressez les endives et les girolles sur les assiettes, puis les filets de saint-pierre. Entourez d'un cordon de jus de viande ou de volaille et décorez d'un peu de cerfeuil.

Jean-Yves Johany
Le Cagnard
06800 Cagnes-sur-Mer

Nage de soles et de pétoncles au châteauneuf-du-pape

Pour 8 personnes

3 belles soles en filets, 250 g de pétoncles, 1 bouteille de châteauneuf-du-pape, 2 carottes, 1 poireau, 1 branche de céleri, 2 échalotes, 1 ou 2 tomates, 1 citron, 8 pommes de terre belles de Fontenay, 4 cuillerées de crème épaisse, 1 cuillerée de raifort, estragon, cerfeuil, persil plat, ciboulette, thym, laurier, beurre, huile d'olive, sel et poivre

Émincez tous les légumes, sauf les pommes de terre, et faites-les suer à l'huile d'olive. Mouillez avec le vin, ajoutez du thym, du laurier et rectifiez l'assaisonnement. Laissez cuire 25 à 30 min avant d'ajouter une partie des fines herbes.
Pendant ce temps, faites cuire les pommes de terre épluchées à la vapeur.
Saisissez au beurre les filets de sole et les pétoncles soigneusement nettoyés. Assaisonnez.

Coupez les pommes de terre en deux et déposez-les dans un plat à gratin. Nappez-les de la crème épaisse mélangée au raifort et rectifiez l'assaisonnement si nécessaire. Faites légèrement gratiner le tout avec de la ciboulette, au four à 220 °C.
Dans des assiettes creuses, dressez les filets de sole et les pétoncles. Ajoutez la nage de vin et de légumes et saupoudrez de quelques fines herbes. Servez les pommes de terre à part.

Brunel
84000 Avignon

Marinière de turbot aux parfums des garrigues

Pour 4 personnes

800 g de filets de turbot coupé en fines escalopes, 1 cuillerée à café d'estragon ciselé, 1 cuillerée à café de poivron vert pelé et coupé en julienne, 1 cuillerée à café de ciboulette, 1 cuillerée à café de tomate en julienne, 1 cuillerée à café d'olive noire en julienne, 1 cuillerée à café de fleur de thym, 1 cuillerée à café de graines de fenouil, 1 feuille de laurier, 2 gousses d'ail écrasées, 1 cuillerée à café de vinaigre de Xérès, 2 cuillerées à soupe d'huile d'olive, 10 cl de fumet de poisson, 100 g de beurre froid coupé en petits morceaux, sel et poivre

Dans une casserole, mettez le fumet de poisson, le vinaigre, l'huile, le laurier, la fleur de thym, l'ail et le fenouil. Portez à ébullition et laissez réduire d'un tiers. Retirez alors le laurier et l'ail. À feu vif, incorporez le beurre progressivement, en fouettant vivement pour obtenir une émulsion. Arrêtez aussitôt la cuisson et gardez au chaud, dans un bain-marie.

Badigeonnez d'huile d'olive, salez et poivrez une plaque recouverte de papier aluminium. Posez dessus les filets de turbot que vous humectez au pinceau. Salez, poivrez et mettez à four chaud (200 °C), pendant 3 min.
Une fois le poisson sorti du four, disposez-le délicatement sur des assiettes chaudes (à l'aide de spatules). Nappez de la sauce, dans laquelle vous aurez incorporé, au dernier moment, l'estragon, la ciboulette, le poivron, l'olive et la tomate.

Guy Villenueva
La Vaunage
30870 Saint-Côme

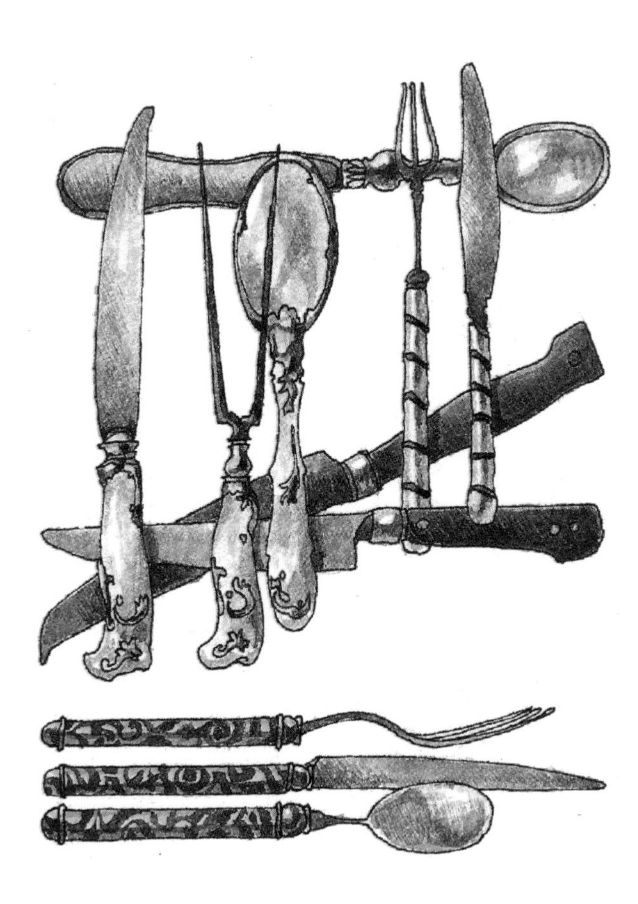

Gratin de queues de langoustines

Pour 4 personnes

20 langoustines entières, 400 g de queues de langoustines, 2 carottes, 1 tomate, 20 g de purée de tomates, 1 oignon, 20 g de beurre, 20 cl de crème fraîche, 20 cl de cognac, 10 cl de vin blanc, 10 cl de fumet de poisson, 1 pincée de cayenne, sel et poivre

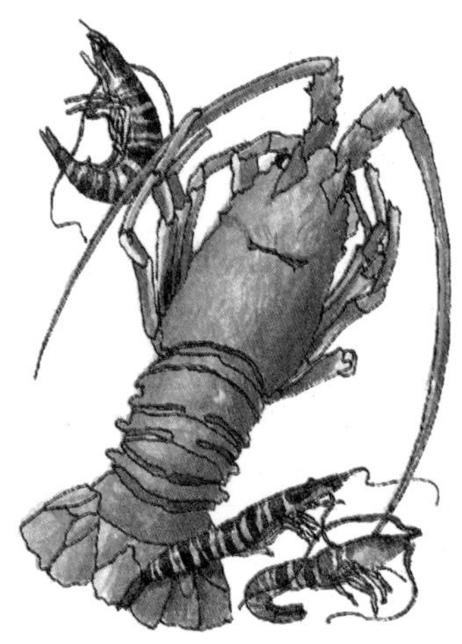

Épluchez l'oignon et les carottes. Coupez-les en dés. Dans une casserole, faites revenir les dés de légumes avec 10 g de beurre, puis les carapaces concassées des queues de langoustines, préalablement décortiquées. Flambez avec la moitié du cognac, versez le vin blanc et laissez réduire. Ajoutez alors la tomate, la purée de tomates, le fumet de poisson, la pincée de cayenne, du sel et du poivre. Laissez cuire 30 min, puis passez au chinois en compressant fortement les carapaces.

Incorporez la crème fraîche et faites cuire 10 min à feu moyen. Laissez réduire de moitié afin de rendre la bisque bien épaisse. Retirez du feu et réservez au chaud.

Poêlez séparément, dans le beurre restant, les queues décortiquées et les langoustines entières, en les faisant bien colorer. Salez et poivrez, puis flambez avec le reste du cognac.

Dans chaque assiette creuse, dressez au centre les queues de langoustines, puis 5 langoustines entières, les pinces vers l'extérieur de l'assiette. Nappez le tout de bisque.

Laurent Sciré
Auberge Saint Vincent-Verdi
83140 Six-Fours-les-Plages

Parmentier d'huîtres au corail d'oursins

Pour 4 personnes
4 douzaines de grosses huîtres, 2 douzaines d'oursins,
1 kg de pommes de terre, 50 cl de fumet de poisson,
20 cl de crème fouettée, 100 g de beurre, 20 cl de Noilly-Prat

Préparez une purée de pommes de terre et pressez-la au tamis avec le corail des oursins, avant d'y ajouter le beurre.
Ouvrez les huîtres et pochez-les légèrement dans leur eau, préalablement filtrée, juste pour les raidir. Égouttez-les sur un linge.
Faites réduire aux trois quarts le fumet de poisson avec le Noilly-Prat, puis ajoutez la crème fouettée.
Dans des assiettes allant au four, disposez 1 couche de purée, puis les huîtres, puis 1 autre couche de purée. Nappez du fumet au Noilly-Prat et faites gratiner au four à 220 °C, avant de servir chaud.

Alain Ryon
Le Lingousto
83390 Cuers

Coquilles Saint-Jacques poêlées, tomates confites et vinaigrette à la tapenade

Pour 6 personnes

À préparer la veille

18 belles noix de Saint-Jacques, 6 tomates, 50 g de tapenade noire, 25 cl d'huile d'olive, 50 g de beurre, 3 cuillerées à soupe de vinaigre, thym, cerfeuil, sel et poivre

La veille, coupez les tomates en deux et évidez-les. Disposez-les dans un plat à four, salez, poivrez, assaisonnez d'huile d'olive et de thym. Faites-les cuire et confire à four doux (90 °C), pendant environ 1 h 30.

Le jour même, mettez dans un saladier la tapenade, du sel et du poivre. Ajoutez le vinaigre et le reste d'huile d'olive. Faites prendre le tout en émulsion, de préférence au mixer.

Égouttez les noix de Saint-Jacques sur un papier absorbant. Salez et poivrez des deux côtés. Dans une grande poêle, faites fondre le beurre, puis saisissez les noix de Saint-Jacques pendant 1 min environ, afin de bien les colorer. Égouttez-les à nouveau sur un papier absorbant.

Au moment de servir, placez au fond des assiettes les tomates confites. Disposez autour les noix de Saint-Jacques et versez la vinaigrette à la tapenade sur le tout. Parsemez de cerfeuil.

Philippe Buisson
Le Grangousier
84000 Avignon

VIANDES

Tranches de gigot d'agneau des Alpilles en cocotte et à l'ail

Pour 4 personnes
À préparer la veille
1,2 à 1,5 kg de gigot d'agneau, 12 gousses d'ail, beurre, 1 cuillerée d'huile d'olive, thym, fleur de thym, sel et poivre
Pour l'accompagnement : pommes de terre

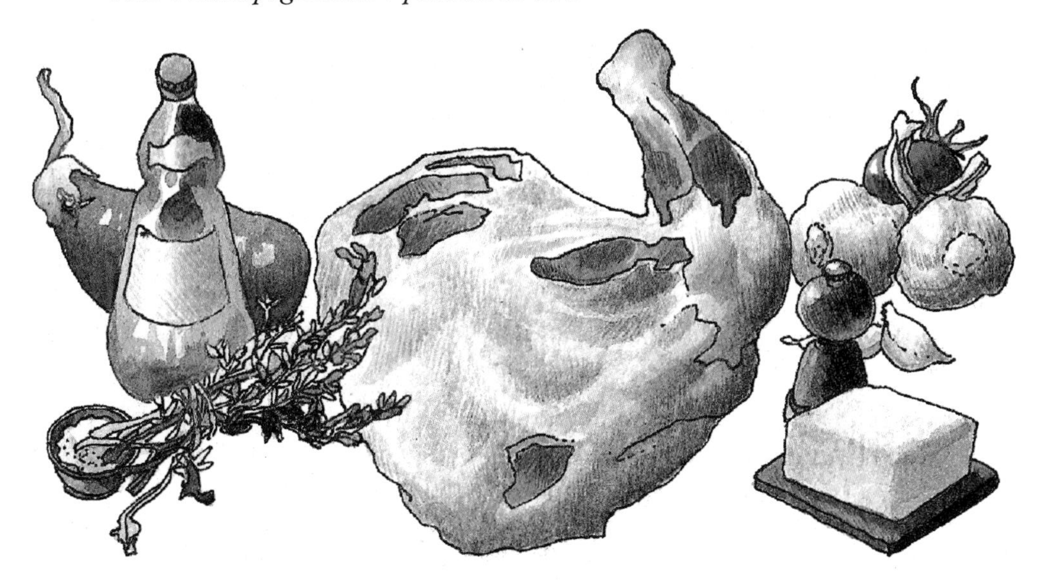

La veille, taillez dans le gigot des tranches de 300 g environ. Imbibez-les d'huile d'olive et de fleur de thym. Réservez-les au frais, sur une assiette couverte de papier-film, pendant 24 h.
Le jour même, faites chauffer à blanc une cocotte en fonte. Déposez les tranches d'agneau sans trop les serrer. Saisissez-les vivement et assaisonnez-les de sel et de poivre. Laissez-les cuire hors du feu, en les retournant plusieurs fois.
Faites cuire les gousses d'ail non épluchées dans de l'huile d'olive, du beurre et du thym, puis ajoutez-les dans la cocotte.
Au moment de servir, remettez à feu vif, retournez les tranches de gigot encore une fois, puis déglacez légèrement avec de l'eau. Servez dans la cocotte et accompagnez de pommes de terre rissolées.

Jean-Pierre Michel
La Régalido
13990 Fontvieille

Mignon d'agneau en barigoule d'artichaut, tian provençal

Pour 4 personnes

750 g de selle d'agneau, 4 artichauts violets, 12 petits oignons, 2 gros oignons, 1 aubergine, 1 courgette et demie, 4 tomates, 20 cl de vin blanc, 80 g de poitrine fumée, 40 g de beurre, huile d'olive, thym, laurier, coriandre fraîche, sel et poivre

Tournez les artichauts et faites-les revenir à l'huile d'olive. Mouillez avec la moitié du vin blanc puis ajoutez les petits oignons, la coriandre ciselée, le thym, le laurier, la poitrine détaillée en lardons, 2 tomates coupées en dés. Laissez cuire la barigoule à feu très doux, pendant 15 min.
Parez la selle d'agneau. Mettez-la à rôtir au four à 250 °C, pendant 25 min environ.
Hachez les gros oignons et faites revenir ce hachis à l'huile d'olive. Mettez-le au fond d'un plat à feu. Coupez l'aubergine, les courgettes et 2 tomates en rondelles.

Dressez les légumes en alternance sur le lit d'oignons. Salez, poivrez et ajoutez du thym. Laissez cuire ce tian 30 min au four, entre 200 et 250 °C.
Déglacez le jus de cuisson de l'agneau avec le reste du vin blanc et laissez réduire. Montez la réduction au beurre.
Dressez sur des assiettes la selle d'agneau, le tian, la barigoule et la sauce. Servez bien chaud.

Pascal Morel
Abbaye de Sainte-Croix
13300 Salon-de-Provence

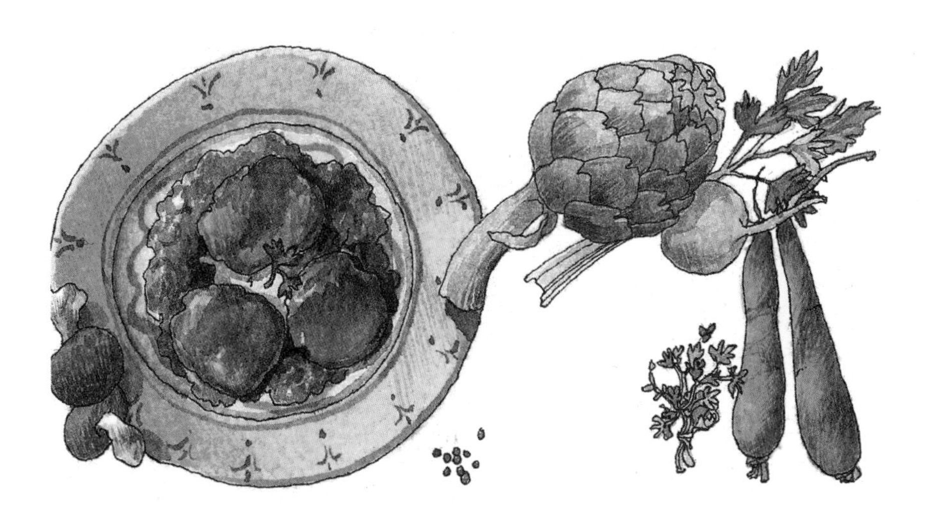

Rosaces d'agneau « comme en Provence », aumônières de barbouillade

Pour 4 personnes

Pour les rosaces d'agneau : 1 selle d'agneau désossée (d'environ 600 g), 16 gousses d'ail en chemise, feuilles de basilic ciselées, jus d'agneau monté au beurre de basilic à l'ail léger, huile d'olive, sel et poivre

Pour la barbouillade : appareil à crêpes salées, brins de ciboulette, 1/5 de poivron rouge, 1/5 de poivron vert, 1/5 d'oignon, 1/5 de courgette, 1/5 de tomate mondée en dés, 3 gousses d'ail, huile d'olive, safran, sel et poivre

Dégraissez les filets d'agneau et assaisonnez-les de sel et de poivre. Garnissez de basilic et des gousses d'ail pochées à l'huile d'olive. Roulez et ficelez. Faites rôtir afin d'obtenir une cuisson très rosée. Détaillez en escalopes, en comptant 3 morceaux par personne. Réservez au chaud.

Pendant ce temps, coupez les poivrons verts et rouges, ainsi que les courgettes, en fine julienne. Faites sauter la julienne à l'huile d'olive. Ajoutez l'oignon et l'ail hachés et sautés, les dés de tomate, du safran, du sel et du poivre. Faites étuver le tout afin d'obtenir un mélange légèrement croquant.
Faites cuire 4 crêpes salées. Garnissez-les de barbouillade et façonnez-les en forme de bourse, en vous servant des brins de ciboulette, préalablement blanchis, pour les ficeler.
Dans chaque assiette, disposez l'aumônière au centre et entourez-la des 3 escalopes d'agneau disposées en rosace. Garnissez de feuilles de basilic. Servez le jus à part.

Arthur Dorschner
Le Mas d'Artigny
06570 Saint-Paul-de-Vence

Agneau de lait rôti aux herbes, légumes niçois farcis

Pour 6 personnes

Pièces d'agneau (1 gigot, 1 épaule, 1 selle, 1 carré, 1 collier), 4 gousses d'ail, 1 petite carotte, 1 oignon, 5 artichauts, 6 tomates, 3 courgettes, 6 petites pommes de terre, 6 olives niçoises tournantes (presque noires), 1 branche de romarin, 1 branche de basilic, 2 branches de thym, 30 g de parmesan, 30 cl d'huile d'olive, 20 g de purée de tomates, 40 cl de fond d'agneau, sel et poivre

Pochez les artichauts dans de l'eau salée, puis coupez-les en deux. Écrasez à la fourchette la pulpe de 2 artichauts. Ajoutez de l'huile d'olive et du basilic ciselé. Assaisonnez. Farcissez de cette préparation les 6 demi-artichauts restants. Pochez les courgettes à l'eau salée et tronçonnez-les en six. Farcissez les tronçons de leur pulpe mixée et assaisonnée avec un peu d'huile et le parmesan.

Préparez le collier en navarin avec la carotte, l'oignon, l'ail, le thym et la purée de tomates. Une fois le tout bien cuit, écrasez à la fourchette, salez, poivrez et farcissez-en les tomates.
Faites cuire les pommes de terre en robe des champs. Coupez-les en deux et videz-les. Farcissez-les de la chair assaisonnée et écrasée à la fourchette avec de l'huile d'olive et les olives hachées.
Mettez les autres pièces d'agneau à rôtir. Ajoutez les herbes en fin de cuisson. Déglacez la plaque avec le fond d'agneau.
Chauffez tous les légumes farcis au four. Disposez les pièces d'agneau tranchées, ainsi que les légumes, sur un plat de service et nappez de jus filtré.

Dominique Le Stanc
Negresco
06000 Nice

Croustillants d'agneau à la tapenade

Pour 4 personnes
4 beaux filets d'agneau, 180 g d'olives noires, 30 g de filets d'anchois, 20 g de câpres, 4 feuilles de brick, 250 g de macaronis, 10 cl de lait, 10 cl d'huile d'olive, 30 cl de fond d'agneau, 80 g de beurre, 20 g de farine, 1/2 botte de coriandre, 1 œuf, 30 g de parmesan, sel et poivre

Ouvrez en deux les filets d'agneau, assaisonnez-les et faites-les revenir à la poêle, dans l'huile d'olive. Lorsqu'ils sont roses, laissez-les refroidir.
Découpez et mixez les olives dénoyautées avec les filets d'anchois et les câpres.
Faites cuire les macaronis à l'eau bouillante salée. Dans une sauteuse, faites une béchamel légère, assaisonnée. Ajoutez la coriandre ciselée, les macaronis, mélangez bien, incorporez l'œuf, puis versez dans un plat de service. Saupoudrez de parmesan râpé et mettez au four très chaud.

Au centre de chaque morceau de viande, mettez un peu de tapenade. Refermez les filets sur eux-mêmes et rangez chacun dans 1 feuille de brick légèrement huilée, que vous repliez ensuite. Faites cuire sur une plaque au four à 220 °C, pendant 10 min environ. Réduisez le fond d'agneau et incorporez le reste de tapenade. Montez avec 1 noix de beurre et rectifiez l'assaisonnement.
Dans chaque assiette, disposez 1 croustillant, un peu de gratin, et un cordon de sauce autour.

Thierry Bernet
Les Palmiers
06400 Cannes

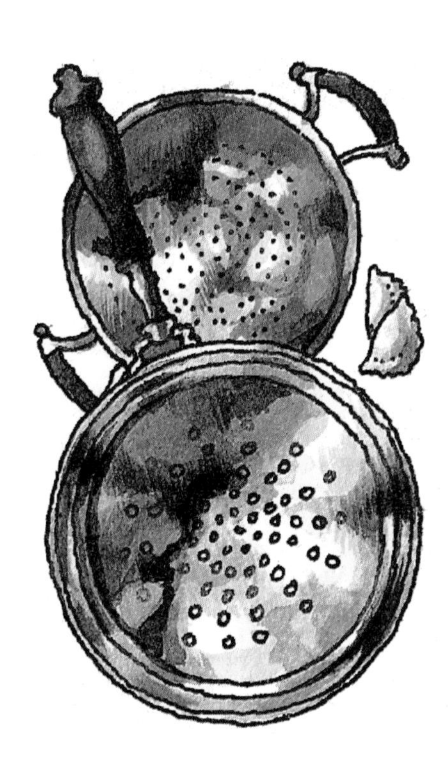

Caillettes d'agneau pascal, petit jus au thym et gousses d'ail en chemise

Pour 6 personnes

1 kg d'épaule d'agneau, 1,5 kg d'épinards frais ou de feuilles de blettes, 2 œufs, 10 cl de crème fraîche, 200 g de crépine, 3 feuilles de sauge, 2 branches de persil frais, 8 gousses d'ail, thym, vin blanc, beurre, huile, sel et poivre

Désossez l'épaule d'agneau. Réservez les os.
Faites cuire les épinards (ou les blettes). Égouttez-les soigneusement. Hachez la chair d'agneau avec les épinards cuits, les feuilles de sauge, 2 gousses d'ail, les feuilles de persil, du thym, du sel et du poivre. Mélangez le tout à la main, puis ajoutez les œufs et la crème fraîche. Rectifiez l'assaisonnement.
Séparez cette farce en 6 portions en forme de boules que vous entourez de crépine bien nettoyée. Faites cuire ces caillettes au four dans un plat à gratin, pendant 30 min, à 180 °C.
Pendant ce temps, faites revenir les os d'agneau avec un peu d'huile. Déglacez au vin blanc, ajoutez 2 branches de thym et 6 gousses d'ail. Assaisonnez, faites réduire de moitié et montez au beurre.
Dressez les caillettes dans des assiettes et nappez-les de jus. Servez bien chaud.

Michel Philibert
Le Saule Pleureur
84170 Monteux

Rognons d'agneau de Sisteron au genièvre et à la menthe sauvage

Pour 4 personnes

16 rognons d'agneau, 20 cl de crème liquide, 10 cl de jus d'agneau, 1 cuillerée à café de marc de Provence, 2 cuillerées à soupe de muscat sec de Haute-Provence, 12 feuilles de menthe fraîche, 50 g de beurre, jus de citron, genièvre moulu, sel et poivre

Parez et dénervez les rognons après les avoir ouverts en deux. Salez, poivrez et poudrez de genièvre. Dans une casserole à fond épais et très chaude, faites sauter les rognons au beurre, 2 min de chaque côté, afin d'obtenir une couleur rose.

Retirez les rognons et réservez-les au chaud. Éliminez le beurre de cuisson, puis déglacez au muscat et au marc. Ajoutez la crème liquide et le jus d'agneau et réduisez jusqu'à obtention d'une consistance onctueuse. Mettez les feuilles de menthe légèrement ciselées. Rectifiez l'assaisonnement avec du sel, du poivre et du jus de citron.

Dressez les rognons sur des assiettes et nappez de sauce.

Pierre et Jany Gleize
La Bonne Étape
04160 Château-Arnoux

Émincé de bœuf à la fondue d'anchois

Pour 4 personnes
4 tranches de filet de bœuf de 200 g chacune, 8 anchois au sel, 4 gousses d'ail, 20 g de beurre, 10 cl de crème liquide, 10 cl de fond de volaille, 2 cuillerées à soupe de vinaigre de vin, huile d'olive, persil, sel et poivre

Levez les filets d'anchois et faites-les dessaler 10 min environ à l'eau courante. Réduisez-les en purée au mixer, puis passez-les au tamis afin d'éliminer les petites arêtes.
Dans une casserole, faites réduire le vinaigre. Ajoutez le fond de volaille, puis la crème liquide, et laissez cuire à feu doux. Incorporez la purée d'anchois pour lier la sauce, puis arrêtez à l'ébullition. Rectifiez l'assaisonnement.
Épluchez les gousses d'ail et coupez-les en deux. Retirez les germes et hachez régulièrement.
Salez et poivrez la viande. Poêlez-la à l'huile d'olive en la gardant saignante et réservez-la. Faites chauffer dans la poêle le beurre, l'ail haché et le persil ciselé. Coupez la viande en aiguillettes que vous mélangez, hors du feu, avec la préparation chauffée dans la poêle.
Réchauffez la sauce et déposez-la au fond des assiettes. Disposez les aiguillettes de bœuf dessus et passez le tout au four. Servez bien chaud avec, par exemple, un gratin de courgettes.

Antoine Biancone
Hostellerie Les Frênes
84140 Avignon-Montfavet

Daube du pays varois

Pour 4 personnes
À préparer la veille
1 kg de gîte, 200 g de poitrine demi-sel, 1 oignon, 2 carottes, 4 gousses d'ail, 1 bouteille de vin rouge, 1 petit verre d'huile d'olive, vinaigre de vin, 1 bouquet garni, 1 bouquet de persil plat, 1 clou de girofle, 1 zeste d'orange, sel et poivre

La veille, coupez la viande en gros cubes. Passez-la dans le vinaigre, puis mettez-la à mariner toute la nuit dans le vin, avec l'oignon, les carottes, les gousses d'ail, le clou de girofle et du poivre.
Le jour même, hachez finement la poitrine et faites-la fondre dans une sauteuse. Retirez les petits morceaux avec une écumoire. Dorez la viande, puis les légumes de la marinade égouttés, dans le gras de la poitrine fondue. Mouillez avec le vin, salez et ajoutez le bouquet garni, le persil haché, le zeste d'orange, l'huile d'olive et 1 verre d'eau. Laissez cuire le tout à feu doux et à couvert, pendant 8 h.
Vous pouvez également ajouter à la daube 1 pied de cochon.

Michel Hebreard
L'Amiral
83120 Sainte-Maxime

Bœuf à l'estouffade des mariniers du Rhône

Pour 6 personnes

1,5 kg d'entrecôte seconde coupée en tranches de 150 g, 8 filets d'anchois dessalés, 1 oignon, 2 l de vin rouge des Côtes-du-Rhône, 10 cl de vinaigre de vin, 1 cuillerée de concentré de tomates, 1 cuillerée de câpres, 1 cornichon, 1 bouquet de persil, 1 feuille de laurier, 1 pincée de thym, 2 cuillerées à soupe d'huile d'olive, sel et poivre

Faites revenir les tranches de bœuf à l'huile d'olive dans une poêle. Égouttez-les et disposez-les dans une cocotte en fonte émaillée. Réservez.

Déglacez la poêle au vinaigre. Ajoutez le concentré de tomates, l'oignon haché, les câpres, le cornichon, le thym, le laurier, le persil haché, du sel et du poivre. Arrosez de vin rouge et faites cuire le tout 15 min.

Versez la sauce dans la cocotte sur les tranches de viande. Ajoutez les filets d'anchois coupés en morceaux, couvrez et laissez cuire à feu doux environ 2 h.

Dans chaque assiette bien chaude, disposez 1 tranche de bœuf et nappez-la de sauce.

André Chaussy
Hiély-Lucullus
84000 Avignon

Joues de bœuf braisées au côtes du Ventoux, purée de pommes de terre à l'ail

Pour 6 personnes
À préparer la veille
3 joues de bœuf de 300 g chacune, 1 l de côtes du Ventoux rouge, 1,5 kg de pommes de terre, 1 tête d'ail, 20 cl d'huile d'olive, 20 cl de crème fraîche, 100 g de beurre, bouquet garni, sel et poivre

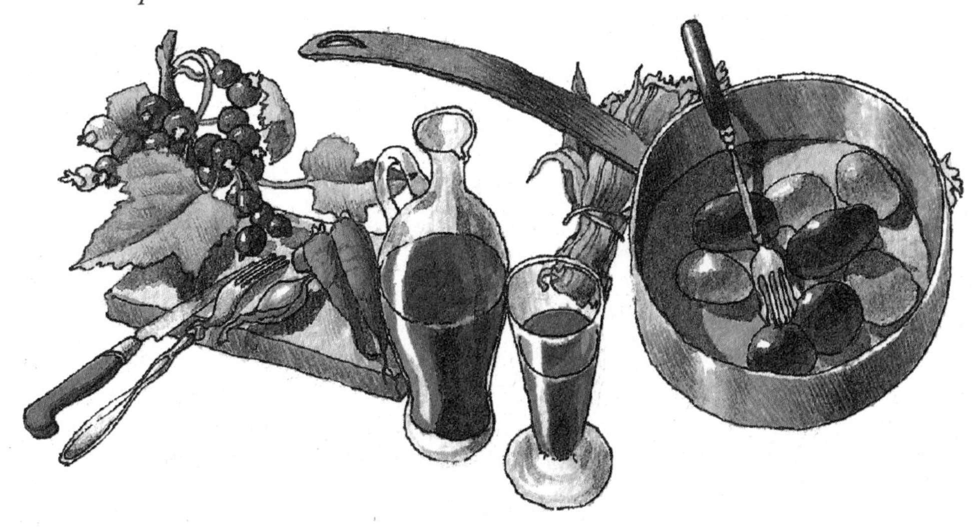

La veille, mettez les joues de bœuf à mariner dans le vin rouge avec le bouquet garni.
Le jour même, égouttez la viande. Saisissez-la à la poêle avec de l'huile, puis déglacez avec la marinade. Placez le tout dans une cocotte en fonte, assaisonnez et laissez cuire 2 h à petit feu.
Pour la purée, cuisez les pommes de terre à l'eau et faites frire, dans de l'huile d'olive, les gousses d'ail épluchées. Égouttez les pommes de terre, puis écrasez-les à la fourchette en y incorporant l'ail avec le reste d'huile d'olive, la crème fraîche, du sel et du poivre.
En fin de cuisson des joues, ajoutez le beurre à leur jus pour le monter en sauce.
Servez séparément les joues de bœuf et la purée.

Michel Philibert
Le Saule Pleureur
84170 Monteux

Feuilletine de noix de veau à la sarriette, rattes poêlées à l'ail et aux lardons

Pour 4 personnes

À préparer la veille

700 g de noix de veau parée, 1 kg d'os de veau, 200 g de crépine de porc, 150 g de poitrine fumée, 250 g de brousse fraîche, 500 g de pommes de terre rattes, 2 têtes d'ail, 10 g de sarriette, 2 oignons, 2 carottes, 1 poireau, 1 branche de céleri, 1 tomate, 50 g de beurre, thym, laurier, sel et poivre

La veille, faites colorer les os à four chaud, puis mettez-les dans une grande marmite avec les oignons, les carottes, le poireau, le céleri, 1/2 tête d'ail, la tomate, du thym et du laurier. Couvrez d'eau et laissez frémir 3 h. Passez au chinois, puis réduisez à feu vif, jusqu'à évaporation de la moitié du volume initial. Réservez au frais.

Le jour même, faites cuire le veau rose au four à 240 °C, pendant 20 à 25 min. Laissez-le refroidir. Travaillez la brousse à la cuillère en incorporant sarriette, sel et poivre.

Détaillez la viande froide en fines escalopes que vous recouvrez de brousse. Reconstituez la noix de veau, enveloppez de crépine soigneusement nettoyée. Assaisonnez, puis mettez à braiser au four à température moyenne, environ 2 h, en arrosant régulièrement du jus des os préparé la veille. La cuisson est terminée lorsque le rôti est fondant et d'une belle couleur brune. Montez le jus avec le beurre.
Faites sauter les gousses d'ail restantes préalablement blanchies et mettez à revenir la poitrine coupée en lardons, ainsi que les pommes de terre épluchées et coupées.
Disposez le rôti au centre du plat de service, la garniture autour et la sauce en saucière. Servez immédiatement.

Jean-Marc Banzo
Le Clos de la violette
13100 Aix-en-Provence

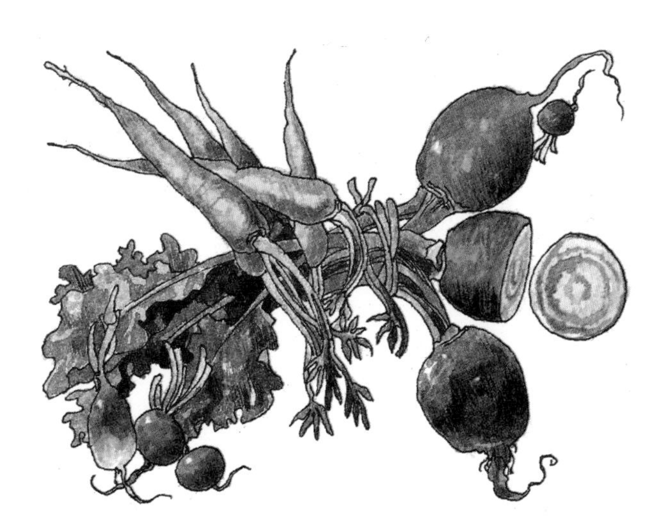

Escalopines de veau panées au persil plat, timbale de blettes aux courgettes

Pour 4 personnes

12 escalopines de veau, 100 g de mie de pain, 4 courgettes trompette, 4 belles feuilles de blettes, 3 cuillerées à soupe de persil plat haché, 1 cuillerée à café d'origan, 2 œufs, 5 cl de jus de viande, le jus d'1/2 citron, huile d'olive, farine, sel et poivre

Coupez les courgettes en bâtonnets de 3 cm sur 3 mm. Faites-les cuire à feu doux dans une sauteuse, à couvert et dans leur jus, avec un peu d'huile et d'origan.

Dans une casserole d'eau bouillante, trempez les feuilles de blettes 3 min. Égouttez-les et foncez-en de petits ramequins. Recouvrez des courgettes et réservez au chaud.

Mélangez la mie de pain et une partie du persil. Panez-en les escalopines, farinez-les, puis passez-les à l'œuf et de nouveau à la panure. Faites-les cuire avec un peu d'huile dans une poêle à feu doux. Retirez-les et réservez-les au chaud.
Chauffez le jus de viande avec le persil restant. Ajoutez le jus de citron et 1 cuillerée à soupe d'huile.
Au moment de servir, retournez le ramequin au centre d'une assiette. Disposez les escalopines et la sauce autour.

Élie Mazot
Château de la Chèvre d'Or
06360 Èze

Émincé de rognons de veau au beaumes-de-venise

Pour 4 personnes

3 rognons de veau, 4 cl d'armagnac, 1 verre de beaumes-de-venise, 2 échalotes hachées, 1 cuillerée à café de moutarde forte, 4 cuillerées de crème fraîche, 1 pincée de cerfeuil haché, beurre, sel et poivre

Dégraissez, pelez et émincez les rognons en petites escalopes. Salez et poivrez. Faites-les rissoler avec 1 noix de beurre dans une sauteuse bien chaude, afin d'obtenir une cuisson très rosée. Égouttez-les.

Dans la même sauteuse, mettez les échalotes à revenir, ajoutez l'armagnac et le beaumes-de-venise, puis portez à ébullition. Faites réduire presque à sec, puis ajoutez la crème fraîche et réduisez de nouveau jusqu'à obtention d'une sauce onctueuse. Lorsque vous en êtes presque à ce point, incorporez la moutarde et rectifiez l'assaisonnement.

Dans des assiettes bien chaudes, disposez les tranches de rognons, nappez-les de sauce et parsemez de cerfeuil haché. Servez immédiatement. Vous pouvez accompagner de riz pilaf.

Francis Robin
Le Mas du Soleil
13300 Salon-de-Provence

VOLAILLES ET GIBIERS

Pigeonneaux des Alpilles à la tapenade

Pour 4 personnes
4 pigeonneaux, 1 échalote, 1 gousse d'ail, 20 cl de vin rouge, 20 cl d'eau, 5 bonnes cuillerées de tapenade noire (voir Croustillants d'agneau p. 78), sel et poivre

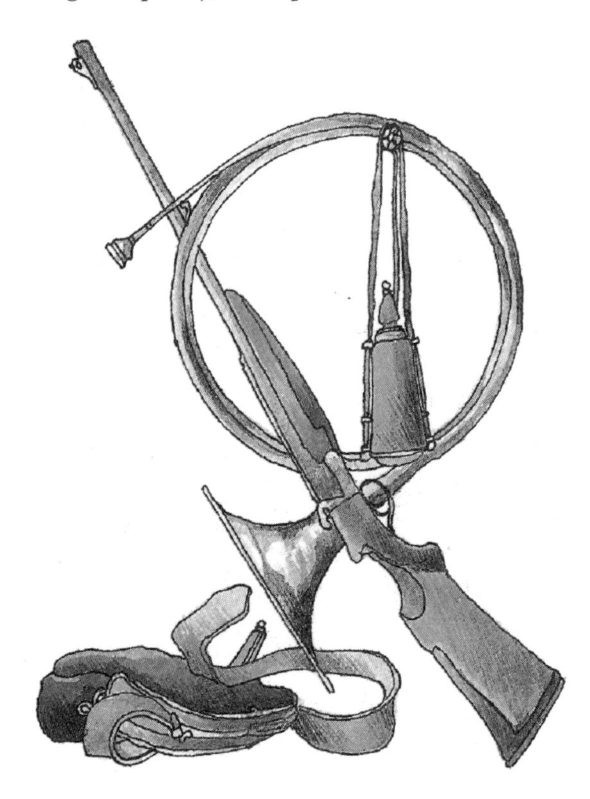

Préchauffez le four à 250 °C. Salez et poivrez les pigeonneaux et garnissez-les d'1 cuillerée de tapenade. Faites-les rôtir 10 min à four très chaud. Levez les filets et les cuisses que vous conservez au chaud à l'entrée du four.
Faites revenir à feu doux les abattis concassés, l'échalote hachée et l'ail écrasé. Mouillez avec le vin et l'eau. Laissez cuire quelques minutes, puis filtrez et liez avec 1 cuillerée de tapenade.
Nappez les pigeonneaux de sauce et servez-les aussitôt.

Alain Rembeault
Le Mas des Herbes Blanches
84220 Joucas

Pigeonneaux au basilic et aux pignons, huile d'olive et vinaigre fin

Pour 6 personnes

6 pigeonneaux désossés, 3 tomates mondées et concassées, 2 échalotes hachées, 2 gousses d'ail, 1/2 verre de pignons de pin, 3 cuillerées d'huile d'olive vierge, 1/2 verre de vinaigre de Xérès, estragon, persil, basilic

Faites cuire les pigeonneaux en cocotte en les laissant bien rosés. Débarrassez-les.
Déglacez la cocotte au vinaigre de Xérès et faites réduire à consistance de glace. Ajoutez les tomates, les échalotes, l'ail, le persil et l'estragon. Portez le tout à ébullition. Aux premiers bouillons, incorporez l'huile d'olive et laissez cuire 10 min à feu doux.
Dressez les pigeonneaux sur des assiettes et nappez-les de sauce. Au moment de servir, ajoutez le basilic et les pignons.

Bernard Laffargue
Castel Lumière
83330 Le Castellet

Pigeons fermiers au vin de myrte

Pour 4 personnes
4 pigeons de 500 g chacun, 1 l de vin de myrte, 100 g de polenta, 100 g d'olives noires, pommes de terre (bintje de préférence), 50 cl de crème fraîche, pluches de myrte

Désossez et videz les pigeons. Mettez à mariner dans la crème fraîche les cuisses, les blancs sans peau et les ailerons troussés.
Concassez les carcasses et faites-les rissoler à l'huile. Assaisonnez et déglacez au vin de myrte. Réduisez de trois quarts puis mouillez à hauteur avec de l'eau. Faites cuire 15 min, passez au chinois, laissez encore réduire à consistance sirupeuse et réservez. Chauffez de l'eau et jetez-y la polenta en pluie. Quand elle est cuite, ajoutez les olives en dés et formez des quenelles.
Épluchez les pommes de terre, tournez-les en forme de bouchon et coupez-les en rondelles. Disposez-les en 4 rosaces sur une plaque huilée, salez, poivrez et dorez-les au four à 240 °C. Laissez refroidir, puis retournez-les.
Égouttez les pigeons, mettez-les dans un plat à feu et faites-les colorer 3 min de chaque côté.
Dans chaque assiette, dressez 1 quenelle de polenta, 1 rosace de pommes dorées et un cordon de sauce au vin de myrte. Finissez par les cuisses de pigeons et le blanc ouvert en deux, décorez d'1 pluche de myrte.

Georges Billon
Grand hôtel de Cala Rossa
20137 Lecci de Porto-Vecchio

Poulet rôti à l'ail et au cumin

Pour 4 personnes

1 poulet fermier (1,6 kg environ), 2 tomates, 500 g de pommes de terre, 500 g de carottes, 2 têtes d'ail, 20 cl d'huile d'olive, 10 cl de vinaigre de vin rouge, 50 cl de fond de volaille brun, 1 cuillerée à soupe de cumin en poudre, thym, romarin, sel et poivre

Faites vider le poulet par votre volailler. Assaisonnez l'intérieur avec l'ail, le thym, le romarin, du sel et du poivre, puis ficelez-le. Dans une cocotte, faites-le colorer progressivement sur toutes ses faces, couvrez, puis mettez la cocotte au four à 180 °C.
Pendant la cuisson, épluchez les légumes et taillez en rondelles de 5 mm environ les carottes et les pommes de terre. Laissez les gousses d'ail entières.

Au bout de 15 à 20 min de cuisson, mettez la garniture dans la cocotte autour du poulet, rectifiez l'assaisonnement et saupoudrez de cumin. Arrosez fréquemment la volaille et remuez délicatement et régulièrement les légumes. Faites cuire encore une petite demi-heure.
Laissez reposer le poulet 15 min ; vous le servirez dans un plat à part. Réservez les légumes au chaud. Déglacez la cocotte au vinaigre et laissez cuire jusqu'à évaporation totale. Ajoutez le fond de volaille et les tomates coupées en quatre. Réduisez, passez au chinois et rectifiez l'assaisonnement.
Au moment de servir, repassez le poulet et les légumes 5 min à four très chaud. Découpez à table.

Robert Lalleman
Auberge de Noves
13550 Noves

Poulet fermier étuvé à l'estragon, riz créole

Pour 4 personnes
1 poulet de 1,5 à 1,8 kg, 150 à 200 g de beurre, 20 g de riz, 1 gros bouquet d'estragon frais, sel et poivre

Videz, flambez et parez le poulet. Conservez les abattis et les ailerons, avec lesquels vous préparez un fond blanc parfumé à l'estragon. Bridez la volaille et mettez l'estragon à l'intérieur.
Posez le poulet dans une casserole et mouillez-le à demi avec un mélange constitué de fond blanc et d'eau, en proportions égales. Ajoutez 125 g de beurre. Laissez cuire environ 45 min à couvert, en retournant régulièrement le poulet. Pendant ce temps, cuisez le riz à l'anglaise. Refroidissez-le et faites-le revenir avec 1 noix de beurre. Rectifiez l'assaisonnement.

Lorsque la volaille est pochée, retirez-la du bouillon. Ôtez l'estragon que vous réservez, et conservez la volaille dans un linge. Ajoutez l'estragon au bouillon et faites réduire au tiers, en écrémant souvent pour obtenir une sauce onctueuse. Rectifiez l'assaisonnement. Si la sauce est trop liquide, émulsionnez-la avec un peu de beurre.
Retirez la peau de la volaille et servez très chaud, avec le riz et la sauce.

Jean-Jacques Ricaud
Le Grand Paris
04000 Digne-les-Bains

Poulet aux citrons confits du pays

Pour 4 personnes

À préparer au minimum 1 mois à l'avance pour les citrons confits

1 poulet de Bresse de 1,8 kg, 3 citrons confits, 60 g de carottes, 1 branche de céleri, 150 g d'oignons blancs, 200 g de tomates bien mûres, 70 g d'olives noires, 10 g de coriandre en grains, 1 bouquet de coriandre, 3 g de safran, 3 gousses d'ail, jus d'1 citron, 5 cl de bouillon de volaille, 5 cl de vin blanc, 2 cl d'huile d'olive, 20 cl de crème liquide, gros sel de mer, sel et poivre

Pour l'accompagnement : riz basmati, gratin de courgettes, coriandre fraîche

Pour préparer les citrons confits, fendez-les nettement aux trois quarts. Laissez-les mariner 3 jours dans de l'eau, en la changeant tous les jours. Le quatrième jour, farcissez les citrons de gros sel de mer, mettez-les dans un bocal que vous remplissez d'eau fraîche et conservez au frais pendant 1 mois minimum. Vous pouvez aussi le stériliser pour une meilleure conservation.

Coupez le poulet en 8 morceaux. Salez et poivrez. Faites-les revenir à l'huile d'olive très chaude. Ajoutez la garniture (carottes, céleri, oignons, ail, olives et tomates) coupée en brunoise et laissez cuire 30 min à feu doux. Ajoutez la coriandre en grains et le safran en cours de cuisson. Ôtez les morceaux de poulet cuits

et réservez-les au chaud. Déglacez avec le jus de citron, le bouillon de volaille et le vin blanc. Laissez réduire de moitié, puis incorporez la crème liquide et les citrons confits. Réduisez, rectifiez l'assaisonnement et passez la sauce au chinois sur les morceaux de poulet.
Servez avec un riz basmati cuit à la créole et un gratin de courgettes à la coriandre fraîche.

Dominique Ferrière
Château Saint-Martin
06140 Vence

Poulet au miel et aux épices

Pour 4 personnes

À préparer la veille

1 beau poulet fermier, 1 cuillerée à soupe de curry, 1 cuillerée à soupe de paprika, 2 cuillerées à soupe de fenouil en graines, 2 cuillerées à soupe de coriandre en grains, 3 clous de girofle, 2 badianes (anis étoilé), 3 bâtons de cannelle, 2 cuillerées à soupe de fleur de thym, 2 feuilles de laurier, 1 cuillerée à soupe de sauge, 1/2 cuillerée à soupe de romarin, 1/2 cuillerée à soupe de sarriette, poivre noir, 50 cl de miel, 1 cuillerée à soupe d'armagnac, 10 cl de vinaigre

La veille, coupez la volaille en morceaux que vous faites rissoler dans de l'huile d'arachide, à la poêle. Broyez ensemble toutes les épices et les herbes. Mettez-en un peu sur les morceaux de poulet, arrosez d'armagnac et réservez la nuit au réfrigérateur.

Le jour même, faites cuire le poulet, 20 à 30 min selon la taille, en cocotte ou au four.
Chauffez légèrement le vinaigre et incorporez parfaitement le miel. Ajoutez alors le reste des épices et des herbes. Nappez les morceaux de poulet de ce mélange et faites-les glacer quelques minutes au four très chaud.
Vous pouvez accompagner le poulet de navets confits et de risotto d'épeautre (risotto classique, où le riz est remplacé par l'épeautre).

André Abert
Les Santons de Moustiers
04360 Moustiers-Sainte-Marie

Parmentier de canard braisé, aux essences de cannelle et d'orange

Pour 4 personnes

À préparer la veille

1 kg de cuisses de canard gras, 750 g de pommes de terre (ratte ou bintje), 125 g de carottes, 125 g d'oignons, 125 g de poireaux, vin rouge de Provence, 1,5 l de bon bouillon de volaille, 125 g de lard salé, 1/2 pied de veau, 250 g de beurre, herbes fraîches, cannelle, zeste d'orange, 1 bouquet garni, gros sel, sel et poivre

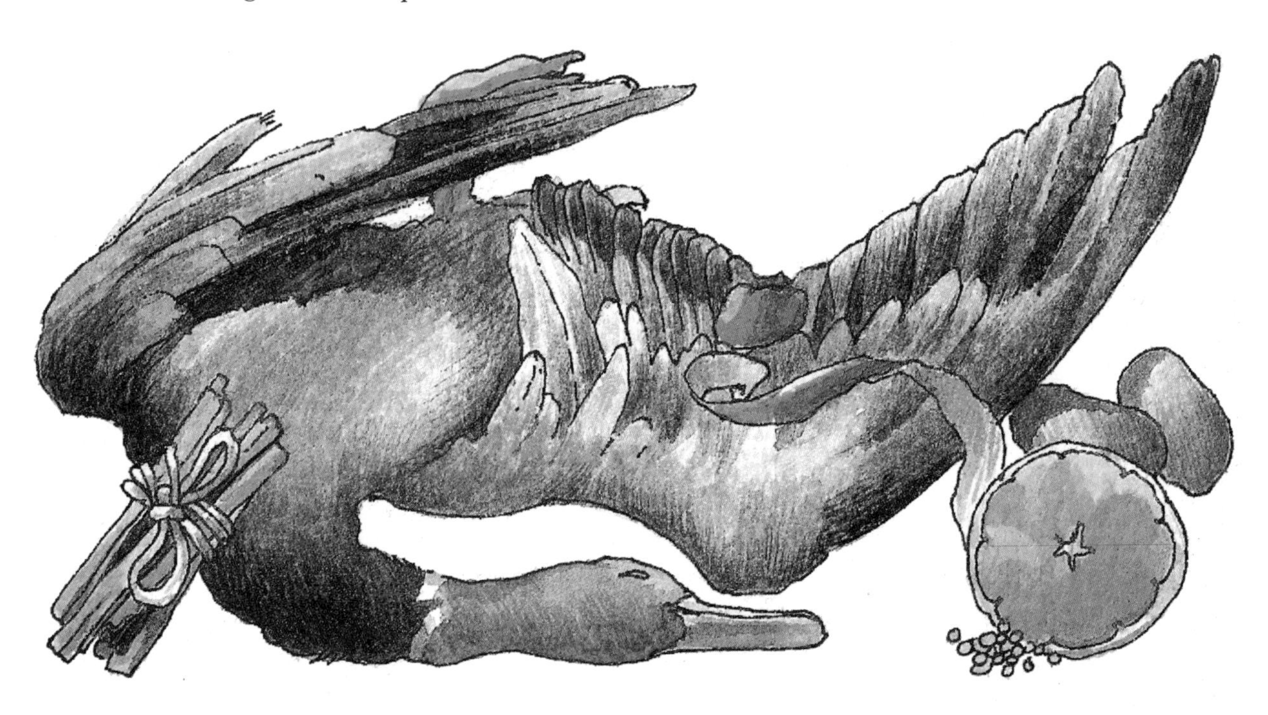

La veille, mettez à mariner les cuisses de canard dans une marinade de bouillon de volaille et de vin, cuite avec une mirepoix de carottes, d'oignons et de poireaux, assaisonnée du bouquet garni, de cannelle et de zeste d'orange.

Le jour même, faites revenir les cuisses de canard dans une poêle et déglacez avec la marinade et la mirepoix. Placez le tout dans une cocotte allant au four. Ajoutez le demi-pied de veau et le lard salé, puis mettez à braiser à four doux, pendant environ 2 h 30, en surveillant attentivement.

Faites cuire les pommes de terre à l'eau avec du gros sel. Prélevez leur chair et travaillez-la à la fourchette avec la moitié du beurre. Salez et poivrez. Réservez au frais.
Décantez le braisage, mettez à réduire la sauce et montez-la avec le beurre restant. Tenez au chaud.
Dans des plats circulaires, disposez dans des cercles, par couches, la pomme de terre puis le canard, et ainsi de suite en finissant par la pomme de terre. Décerclez et recouvrez d'herbes fraîches. Entourez d'un cordon de sauce bien réduite et bien corsée.
Servez brûlant.

Dominique Bucaille
Hostellerie de La Fuste
04210 Valensole

Cabri à la façon du Cabradiou

Pour 6 personnes
1 cabri de 4 à 4,5 kg nourri par sa mère, 200 g d'ail, 1 bouteille de calvi-balagne (Columbu Prestige, de préférence ou, à défaut, côtes-de-provence rouge, madiran ou cahors), 10 cl d'huile d'olive, sel et poivre

Levez les gigots, les épaules et le carré du cabri. Gardez le foie et les rognons que vous parez. Coupez chaque gigot et chaque épaule en trois, le carré en six. Épluchez l'ail et concassez-le.
Dans une grande cocotte, faites rissoler dans l'huile d'olive tous les morceaux de cabri, préalablement assaisonnés. Une fois le cabri doré, retirez la matière grasse. Mettez l'ail à fondre quelques minutes avec le cabri, en remuant bien, puis ajoutez les rognons et le foie coupés en escalopes. Déglacez au vin.
Enfournez le tout 35 min à 160 °C, en retournant régulièrement les morceaux. À la fin de la cuisson, le vin doit avoir complètement réduit. Rectifiez l'assaisonnement.
Ce plat, généralement préparé à Pâques ou à Noël, peut être servi avec une poêlée de pommes de terre.

Jean-Michel Bonnet
La Villa
20260 Calvi

Cul de chevreau rôti

Pour 4 personnes
1 cul de chevreau de 1 kg, 400 g de pommes de terre, 125 g de marrons, 250 g de cèpes, 2 tranches de poitrine fumée, 1/2 gousse d'ail, huile d'olive, beurre, thym, laurier, 1/4 de verre de vin blanc, 125 cl d'eau, persil, sel et poivre

Salez et poivrez le cul de chevreau. Faites-le saisir à l'huile d'olive dans un plat à feu, au four préchauffé à 240 °C. Laissez ensuite rôtir 40 min à four modéré (120 °C).
Épluchez les pommes de terre. Coupez-les en dés et saisissez-les à la poêle huilée. Mettez-les au four avec le chevreau. Ajoutez l'ail, le thym, le laurier, du sel et du poivre. Au bout de 30 min, déglacez avec l'eau et le vin blanc.
Faites chauffer les marrons et la poitrine fumée dans du beurre. Juste avant de servir, faites sauter les cèpes avec de l'ail et du persil. Disposez dans un plat de service le chevreau découpé, les marrons, les cèpes, les pommes de terre et la poitrine. Servez aussitôt.

Bernard Laffargue
Castel Lumière
83330 Le Castellet

Lapin farci aux senteurs de Provence

Pour 4 personnes

1 lapin, 150 g de crépine, 1 œuf, 100 g d'épinards, romarin, huile d'olive, sel et poivre

Pour la sauce : 25 cl de crème liquide, 2 tomates bien mûres, 50 g de beurre, 1 échalote, 1 branche de romarin, sel et poivre

Faites désosser le lapin par le boucher ou le volailler. Préparez une farce avec les pattes avant, le foie, les épinards, l'œuf, le romarin, du sel et du poivre.

Étalez la crépine, placez dessus le lapin désossé et recouvrez-le de farce. Faites-en un rouleau que vous mettez à cuire au four à 240 °C, avec 1 cuillerée d'huile d'olive, pendant 10 à 15 min. Conservez le tout au chaud.

Dans une casserole, faites revenir ensemble l'échalote et les tomates émincées, le romarin et la crème liquide. Laissez réduire 5 min, puis mixez avec le beurre, du sel et du poivre. Passez au chinois ou à la fine passoire.

Dans chaque assiette chaude, dressez la sauce et déposez 1 tranche du rouleau de lapin.

Alain Nicolet
84460 Cheval-Blanc

DESSERTS

Glace garrigue

Pour 8 personnes
1 l de lait, 10 jaunes d'œufs, 250 g de miel d'acacia, 40 g de romarin, 10 g de thym, 1/2 feuille de laurier

Faites bouillir le lait avec le miel, puis ajoutez le romarin, le thym et le laurier et laissez infuser pendant 30 min à couvert.
Passez la préparation au chinois sur les jaunes d'œufs et fouettez le tout, afin d'obtenir un mélange très homogène. Faites-le cuire à feu doux, en remuant continuellement à l'aide d'une spatule. Lorsque vous obtenez une consistance de sauce, versez dans un autre récipient et remuez encore 5 min.
Une fois que la préparation est froide, mettez-la à turbiner en sorbetière.
Vous pouvez servir cette glace avec une salade de fraises parfumée au Grand Marnier.

Robert Lalleman
Auberge de Noves
13550 Noves

Glace au thym et aux amandes

Pour 6 personnes
50 cl de lait, 5 jaunes d'œufs, 100 g de sucre, 50 g d'amandes concassées et grillées au four très chaud, 6 g de thym sec

Faites bouillir le lait et mettez-y le thym à infuser pendant 30 min à couvert.
Travaillez le sucre et les jaunes d'œufs au fouet. Mélangez le lait chaud, les jaunes, le sucre et les amandes. Faites cuire le tout à feu doux, en remuant continuellement à la spatule, jusqu'à obtention d'une consistance de crème anglaise.
Mettez aussitôt la préparation à turbiner dans une sorbetière.

Jean-Pierre Michel
La Régalido
13990 Fontvieille

Glace aux pignons

Pour 4 personnes
À préparer la veille
600 g de crème liquide, 200 g de meringues, 100 g de chocolat noir de couverture, 100 g de sucre en poudre, 50 g de pignons

La veille, battez la crème liquide et le sucre en chantilly très ferme. Versez dans 4 moules individuels. Incorporez les meringues en petits morceaux et les pignons.
Mettez les moules au congélateur pendant 24 h.
Au moment de servir, faites fondre le chocolat noir, puis versez-le bien chaud sur les glaces démoulées directement dans les assiettes.

Lucien Giravalli
Au Jambon de Parme
13006 Marseille

Glace verveine et cassis, poires pochées au jus de cassis

Pour 4 personnes

Pour les poires pochées : 4 poires, 150 g de sucre, 250 g de pulpe de cassis, 1 l d'eau

Pour la gelée de cassis : 300 g de cassis, 300 g de sucre, 20 cl d'eau

Pour le sorbet cassis : 500 g de pulpe de cassis, 300 g de sucre, 130 g de glucose, 40 à 45 cl d'eau

Pour la glace verveine : 150 g de sucre semoule, 4 jaunes d'œufs, 25 cl de lait, 40 g de verveine fraîche, 10 g de glucose

Préparez les poires en les faisant pocher dans l'eau, le sucre et la pulpe de cassis. Laissez-les refroidir dans le sirop.
Pour la gelée de cassis, faites bouillir le cassis et l'eau. Mixez et passez au chinois. Ajoutez le sucre et portez de nouveau à ébullition. Débarrassez et laissez refroidir la gelée.
Pour le sorbet cassis, faites bouillir l'eau, le sucre et le glucose. Mélangez à la pulpe de cassis et mettez à turbiner dans une sorbetière.

Pour la glace verveine, faites bouillir le lait et mettez-y la verveine à infuser pendant 1 h. Travaillez les jaunes avec le sucre et le glucose, versez le lait et remettez le tout à cuire, sans laisser bouillir. Passez au chinois et mettez à turbiner dans une sorbetière.
Mélangez le sorbet cassis et la glace verveine à l'aide d'une fourchette pour obtenir un résultat marbré.
Découpez chaque poire en 2 morceaux. Dressez-les en étoile, nappez avec le jus de cuisson et posez dans chaque demi-poire 1 boule de glace verveine-cassis. Nappez le tout de gelée de cassis.

Dominique Le Stanc
Negresco
06000 Nice

Glace au miel et au romarin

Pour 6 personnes
50 cl de lait, 5 jaunes d'œufs, 25 g de sucre,
125 g de miel de lavande, 10 g de romarin sec

Faites bouillir le lait et mettez-y le romarin à infuser pendant 30 min à couvert.
Travaillez au fouet les jaunes d'œufs et le sucre. Versez peu à peu le lait bouillant, tout en continuant à fouetter. Incorporez le miel.
Faites cuire à feu doux, en remuant continuellement à la spatule, jusqu'à obtention d'une consistance de crème anglaise.
Mettez aussitôt la préparation à turbiner dans une sorbetière.
Vous pouvez servir cette glace dès sa sortie de sorbetière, ou bien la conserver au réfrigérateur.

Jean-Pierre Michel
La Régalido
13990 Fontvieille

Sorbet à la lavande

Pour 8 personnes
500 g de sucre, 3 brins de lavande, 1 citron

Faites bouillir 50 cl d'eau avec le sucre pendant 3 min.
Dans le sirop ainsi obtenu, laissez infuser 5 min les brins de lavande, puis laissez refroidir.
Additionnez du jus du citron et laissez turbiner la préparation dans une sorbetière, pendant 25 min.

Alain Nicolet
84460 Cheval-Blanc

Sorbet au fenouil sauce safran

Pour 4 personnes
Pour le sorbet : 5 l d'eau, 50 g de sucre, 125 g de graines de fenouil, 1 cuillerée à soupe de miel
Pour la crème anglaise : 25 cl de lait, 3 jaunes d'œufs, 75 g de sucre, 1 pointe de safran
Pour la présentation : 4 tranches de pain d'épices, 1 orange, 1 pamplemousse, quelques feuilles de basilic

Commencez le sorbet en préparant un sirop avec l'eau et le sucre. Portez à ébullition, ajoutez les graines de fenouil et le miel. Faites une décoction jusqu'à complet refroidissement.
Pendant ce temps, préparez la crème anglaise. Faites bouillir le lait. Mélangez les jaunes et le sucre, puis versez le lait dessus. Chauffez dans une casserole jusqu'à ce que la préparation frémisse (sans bouillir), puis remuez hors du feu jusqu'à refroidissement. Incorporez le safran et réservez au froid.
Passez le sirop de fenouil au chinois et mettez-le à turbiner dans une sorbetière. Réservez le sorbet au congélateur.
Épluchez l'orange et le pamplemousse. Dressez des quenelles de sorbet sur les tranches de pain d'épices et entourez-les de la crème anglaise. Décorez avec les morceaux d'agrumes et le basilic.

Christian Étienne
84000 Avignon

Sorbet de figues au vin de Bandol

Pour 4 personnes
1,5 kg de figues rouges, 800 g de sucre, 1 citron, 35 cl de vin de Bandol, 50 cl d'eau

Épluchez les figues et passez-les au chinois.
Récupérez la pulpe obtenue, après avoir soigneusement éliminé toutes les graines.
Ajoutez le jus de citron et le vin.
Préparez un sirop avec le sucre et l'eau.
Laissez-le bouillir 4 à 5 min.
Mélangez le sirop à la pulpe de figues et mettez le tout à turbiner dans une sorbetière.
Servez de préférence dans un verre à pied.

Laurent Sciré
Auberge Saint Vincent-Verdi
83140 Six-Fours-les-Plages

Gratin de framboises fraîches

Pour 4 personnes
600 g de framboises fraîches, 500 g de crème liquide, 6 jaunes d'œufs, 100 g de sucre semoule, 100 g de cassonade

Passez les jaunes au batteur avec le sucre semoule pendant 5 min. Faites bouillir la crème liquide et versez-la délicatement dans la préparation. Mélangez, puis faites cuire dans une casserole jusqu'aux premiers bouillons, sans cesser de remuer. Retirez et mettez dans un récipient froid.
Dans des ramequins individuels allant au four (d'environ 10 cm de diamètre et 2 cm de hauteur), rangez les framboises. Nappez-les de sauce puis saupoudrez-les de cassonade.
Faites cuire au four, à 240 °C ou en position gril, jusqu'à coloration et servez immédiatement.

Guy Villenueva
La Vaunage
30870 Saint-Côme

Gourmandise de fruits frais au citron

Pour 8 personnes
Sorbet au citron, fruits de saison (melons, pêches, brugnons, etc.), sucre glace, coulis de fruits rouges (facultatif)
Pour le beurre de citron : 1 citron, 2 jaunes d'œufs, 250 g de sucre, 200 g de beurre
Pour les feuillantines : 450 g de sucre, 9 blancs d'œufs, 160 g de farine, 250 g de beurre

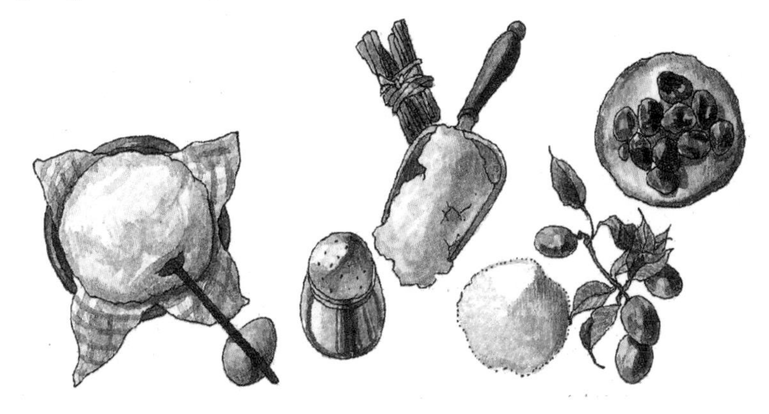

Pour le beurre de citron, travaillez le jus de citron avec les jaunes d'œufs, le sucre et le beurre ramolli, à feu doux, afin d'obtenir la consistance épaisse d'une crème pâtissière.
Préparez les feuillantines avec le beurre, la farine, le sucre et les blancs d'œufs. Lissez-les sur une plaque beurrée. Les feuillantines doivent être assez épaisses et d'un petit diamètre (en compter 3 par personne).
Colorez-les 3 min au four à 180-200 °C, en les surveillant. Débarrassez-les sur une grille.
Préparez les fruits.
Dressez-en une partie, en harmonie de couleurs, sur le tour des assiettes de service. Disposez au centre 1 feuillantine, puis 1 quenelle de sorbet. Recouvrez d'1 autre feuillantine, du beurre de citron, et d'une petite salade préparée avec les fruits restants. Finissez par la dernière feuillantine, saupoudrée de sucre glace.
Vous pouvez décorer les assiettes avec un coulis de fruits rouges.

Dominique Bucaille
Hostellerie de La Fuste
04210 Valensole

Blanc-manger d'amandes aux abricots et au sirop de verveine

Pour 8 personnes

À préparer la veille

1 kg d'amandes émondées, 6 amandes amères, 1,5 kg d'abricots bien parfumés, 200 g de sucre semoule, 150 g de sucre en morceaux, 75 cl de lait, 25 cl d'eau, 9 feuilles de gélatine, 50 cl de crème fouettée, 2 gousses de vanille, 1 bouquet de verveine fraîche

La veille, dans 1 l d'eau, faites bouillir le sucre en morceaux. Ajoutez les abricots entiers soigneusement lavés et la verveine. Laissez reprendre le frémissement, couvrez et mettez hors du feu. Laissez reposer toute la nuit dans un endroit très frais.
Le jour même, pour préparer le blanc-manger, écrasez au mortier les 2 sortes d'amandes en incorporant très doucement le lait et

l'eau, préalablement mélangés. Lorsque la moitié du volume est intégrée, ajoutez le sucre semoule et les gousses de vanille. Continuez de piler jusqu'à absorption totale du lait et de l'eau. Faites fondre la gélatine et incorporez-la à la crème d'amandes. Ajoutez la crème fouettée, mettez le tout dans un moule à charlotte et réservez au frais.
Coupez les abricots en deux et disposez-en une partie avec les feuilles de verveine sur le blanc-manger soigneusement démoulé. Disposez les abricots restants autour du blanc-manger, ou dans un saladier à part.

Jean-Marc Banzo
Le Clos de la Violette
13100 Aix-en-Provence

Fiadone au beurre d'orange

Pour 10 personnes

300 g de brocciu, 3 blancs d'œufs, 3 jaunes d'œufs, 60 g de sucre, 1 zeste d'orange, 1 zeste de citron, cassonade

Pour le beurre d'orange : 60 g de beurre, 100 g de jus d'orange, 1/2 zeste d'orange, 8 g de sucre glace

Écrasez légèrement le brocciu avec le sucre, les jaunes d'œufs et les zestes d'agrumes. Montez les blancs en neige pas trop ferme et incorporez-les à la préparation. Moulez le tout dans 10 cercles graissés (de préférence de 7 cm de diamètre et 5 mm de hauteur) et placez au frais.

Pour le beurre d'orange, faites réduire le jus d'orange avec le sucre et le zeste. Montez au beurre et réservez au chaud.

Faites cuire les fiadone au four pendant 20 min à 160 °C. Dès la sortie du four, décerclez-les, retournez-les, nappez-les de cassonade et faites-les caraméliser à four vif.

Servez les fiadone tièdes et caramélisés, le beurre d'orange autour.

Georges Billon
Grand Hôtel de Cala Rossa
20137 Lecci (Porto-Vecchio)

Crème brûlée aux oranges confites

Pour 4 personnes
50 cl de lait, 100 g de sucre en poudre, 3 œufs entiers, 2 oranges,
20 g de baies de genièvre, 25 cl d'eau

Écrasez les baies de genièvre au mortier. Ajoutez 50 g de sucre et mélangez.
Prélevez les zestes des oranges et taillez-les très finement. Pelez les oranges et prélevez les quartiers. Plongez les zestes 2 min dans de l'eau bouillante.
Confectionnez un sirop avec l'eau et 50 g de sucre. Incorporez les zestes et laissez cuire à feu doux, au moins 15 min, jusqu'à ce qu'ils soient bien tendres.
Faites bouillir le lait avec le contenu du mortier. Fouettez les œufs pour obtenir un mélange mousseux. Versez le lait chaud dessus, passez au chinois et ajoutez les zestes confits égouttés.
Versez dans un plat à gratin ou dans des moules individuels. Faites cuire à four doux et au bain-marie pendant 30 min, puis laissez refroidir.
Démoulez sur des assiettes. Entourez la crème des quartiers d'orange et du sirop.

Christian Métral
Auberge du Jarrier
06410 Biot

Soupe de pêches glacée au basilic

Pour 4 personnes
1 kg de pêches, 500 g de sucre, 1 l d'eau, 1/2 botte de basilic, 20 cl d'alcool de pêche

Avec l'eau et le sucre, préparez un sirop que vous faites bouillir environ 5 min. Laissez-le refroidir, puis ajoutez l'alcool de pêche et le basilic haché.
Mondez les pêches. Coupez-les en deux pour les dénoyauter, puis en quartiers.
Dans des assiettes creuses, disposez des quartiers de pêches et versez le sirop dessus.
Servez très frais.

Thierry Bernet
Les Palmiers
06400 Cannes

Poires pochées à la cannelle, sauce à l'orange

Pour 4 personnes
4 belles poires williams, 1 orange, 1/2 gousse de vanille, 1/2 bâton de cannelle, 350 g de sucre, 50 g de beurre, 1/2 verre de Grand Marnier, morceaux de cannelle (pour la présentation)

Préparez un sirop avec 1 l d'eau et 250 g de sucre, parfumé à la vanille et à la cannelle. Laissez-le cuire 30 min et jetez dedans les poires épluchées mais entières. Une fois ces dernières cuites, coupez-les en deux et ôtez-en l'intérieur. Réservez le sirop.
Émincez les zestes de l'orange et faites-les blanchir.
Avec le sucre restant, préparez un caramel. Déglacez-le au Grand Marnier, puis ajoutez le sirop à la vanille et à la cannelle, ainsi que les zestes d'oranges blanchis et le beurre.
Dressez les demi-poires sur des assiettes. Nappez-les de la sauce et décorez les assiettes de quelques morceaux de cannelle.

Brunel
84000 Avignon

Pannequets à la poire « Mas du Soleil »

Pour 4 personnes

Pour la pâte à crêpes : 125 g de farine, 50 g de sucre, 3 ou 4 œufs, 50 cl de lait, 1 pincée de sel, 1 zeste de citron râpé (ou d'orange)

Pour la garniture : 2 poires bien mûres, 50 g d'amandes effilées, 20 g de raisins secs, 1 trait d'alcool de poire, beurre

Pour l'accompagnement : crème anglaise

Dans un saladier, mettez la farine en fontaine avec le sel. Ajoutez le sucre, puis les œufs. Mélangez soigneusement le tout, délayez avec le lait. Ajoutez le zeste d'agrume et laissez reposer 30 min à 1 h.
Coupez les poires en dés et mettez-les dans une poêle avec 1 noix de beurre chaud, les amandes effilées, les raisins secs gonflés à la vapeur, 1 autre noix de beurre et finissez avec l'alcool de poire. Faites bien chauffer le tout en remuant.
Dans une grande poêle, confectionnez 4 larges crêpes. Mettez dedans la garniture de poires et formez les pannequets.
Servez bien chaud avec une crème anglaise.

Francis Robin
Le Mas du Soleil
13300 Salon-de-Provence

Croustillants de petits fruits rouges

Pour 4 personnes
100 g de fraises, 100 g de framboises, 100 g de groseilles, 100 g de fraises des bois, 50 cl de lait, 40 g de Maïzena, 4 jaunes d'œufs, 100 g de sucre en poudre, 4 feuilles de brick, beurre, 1 gousse de vanille, sucre glace

Préparez une crème pâtissière avec le lait, le sucre en poudre, la vanille, la Maïzena et les jaunes d'œufs, puis laissez refroidir.
Coupez les fraises en quatre et égrappez les groseilles. Mélangez tous les fruits.
Étalez les feuilles de brick et beurrez-les. Tartinez dessus un peu de crème pâtissière et parsemez-les de fruits rouges. Repliez en deux comme un chausson, dont vous beurrez le dessus et que vous saupoudrez de sucre glace.
Placez les chaussons au four chaud (250 °C), afin de les colorer et de les rendre croustillants. Servez aussitôt.

Alain Rembeault
Le Mas des Herbes Blanches
84220 Joucas

Gratinée mi-glacée aux passiflores, coulis de fruits rouges

Pour 8 personnes

125 g de crème épaisse, 150 g de jus de fruit de la passion, 50 g de jus de citron vert, 6 œufs, 30 g de Maïzena, 250 g de sucre, 3 feuilles de gélatine, nougatine broyée, 250 g de fruits rouges, feuilles de menthe, 1 zeste de citron vert blanchi, 2 cl de Grand Marnier, coulis de fruits rouges

Faites bouillir la crème épaisse et les jus de fruit de la passion et de citron vert. Blanchissez les jaunes d'œufs en les fouettant avec 50 g de sucre. Ajoutez la Maïzena, versez dessus les jus et la crème, puis faites cuire comme une crème pâtissière. Ajoutez la gélatine préalablement ramollie à l'eau froide. Laissez refroidir.

Chauffez 200 g de sucre (avec de l'eau) en sirop à 117 °C. Incorporez-le aux blancs d'œufs fouettés et montés en neige afin d'obtenir un meringage.
Incorporez à la première préparation le zeste de citron vert râpé et le Grand Marnier. Mélangez la crème obtenue au meringage et moulez en cercles individuels. Faites glacer au congélateur.
Au moment de servir, démoulez, saupoudrez de nougatine broyée, puis gratinez rapidement au four à 250 °C.
Disposez la gratinée sur un coulis de fruits rouges au centre des assiettes. Décorez de fruits rouges et de feuilles de menthe. Servez de préférence avec des petits fours.

Arthur Dorschner
Le Mas d'Artigny
06570 Saint-Paul-de-Vence

Gâteaux de fraises au châteauneuf-du-pape rouge

Pour 6 personnes

1,5 kg de fraises, 100 g de fromage blanc, 75 g de sucre, 3 feuilles de gélatine, 10 cl de crème liquide, 50 cl de châteauneuf-du-pape rouge

Chauffez doucement et faites flamber le vin. Incorporez 50 g de sucre et 2 feuilles de gélatine. Laissez refroidir. Ajoutez 1,2 kg de fraises et laissez macérer au froid pendant 1 h.

Réduisez en purée les 300 g de fraises restant. Battez le fromage blanc avec le reste de sucre et incorporez-y 1 feuille de gélatine, préalablement ramollie à l'eau froide, dans un peu de crème liquide tiède. Montez le reste de crème en chantilly. Mélangez délicatement le fromage blanc, la chantilly et la purée de fraises. Versez la préparation dans des ramequins individuels et mettez 2 h minimum au frais. Démoulez chaque ramequin au centre de l'assiette et dressez les fraises en gelée autour.

André Chaussy
Hiély-Lucullus
84000 Avignon

Millefeuilles de figues et de fraises des bois, crème de miel et jus de lavande

Pour 4 personnes

200 g de feuilletage, 8 figues, 100 g de fraises des bois, feuilles de menthe, beurre

Pour la crème de miel : 100 g de crème liquide, 50 g de miel liquide, 4 feuilles de gélatine trempée et pressée

Pour le jus de lavande : 375 g de sucre, 25 cl d'eau, 1 feuille et demie de gélatine trempée et pressée, 1 g de fleur de lavande séchée

Pour la crème de miel, montez la crème liquide très ferme. Incorporez délicatement le miel et la gélatine fondue. Réservez au froid.
Pour le jus de lavande, infusez la lavande dans de l'eau bouillante pendant 10 min. Ajoutez le sucre, faites bouillir, incorporez la gélatine préalablement ramollie à l'eau froide, passez au chinois et laissez refroidir.
Abaissez la pâte feuilletée sur 3 mm d'épaisseur. Découpez-la en 12 rectangles et faites cuire au four à 200 °C, pendant 15 min environ. Épluchez les figues et faites-les sauter au beurre. Réservez-les.
Avec une poche à douille cannelée, garnissez 4 abaisses de pâte avec de la crème au miel et des figues. Recouvrez chacune d'une deuxième abaisse, puis garnissez de crème au miel et de fraises des bois. Posez la dernière abaisse que vous décorez de figues, de fraises des bois et de feuilles de menthe.
Vous pouvez servir ce dessert tel quel ou bien frais, après l'avoir laissé reposer au réfrigérateur.

Élie Mazot
Château de la Chèvre d'Or
06360 Èze

Tartelettes aux figues

Pour 6 personnes
500 g de farine, 225 g de beurre, 275 g de sucre, 2 œufs,
500 g de figues fraîches, cassonade, 2 g de sel, crème fouettée

Mélangez la farine, le beurre, le sucre, le sel et les œufs de façon à obtenir une pâte homogène. Taillez-la en petits cercles de 10 cm de diamètre et foncez-en des moules individuels. Mettez à cuire à blanc, à four doux.
Faites blanchir les figues et ôtez la peau. Coupez quelques rondelles dans les plus fermes d'entre elles et écrasez le reste à la fourchette.
Disposez de la purée de figues dans chaque tartelette précuite et recouvrez d'1 rondelle de fruit. Saupoudrez de cassonade et faites légèrement caraméliser au four à 240 °C, en position gril.
Servez tiède, avec un peu de crème fouettée.

Jean-André Charial
Oustaù de Baumanière
13520 Les Baux-de-Provence

Gâteau chaud aux pignons et aux pistaches

Pour 6 personnes

Pour le gâteau : 350 g de beurre pommade, 400 g de sucre, 13 blancs d'œufs, 400 g de pignons, 200 g de pistaches, 50 g de farine tamisée, 15 g de levure chimique tamisée

Pour la crème au caramel : 200 g de sucre en caramel, 600 g de crème liquide, 100 g de beurre, 10 cl d'eau

Mélangez dans l'ordre le beurre, 300 g de sucre, les pignons et les pistaches finement hachés, la farine, la levure et 5 blancs d'œufs. Montez en neige les 8 autres blancs avec le sucre restant et incorporez-les délicatement à la préparation précédente. Mettez dans un moule et faites cuire le gâteau, 20 min, à 200 °C.

Montez la crème liquide avec le beurre et l'eau. Mélangez-la avec le sucre en caramel.

Servez la crème au caramel sur le gâteau chaud.

Dominique Ferrière
Château Saint-Martin
06140 Vence

Financier à la châtaigne

Pour 6 personnes
250 g de sucre glace, 125 g de poudre d'amandes, 125 g de farine de châtaignes, 250 g de beurre, 8 blancs d'œufs

Tamisez le sucre glace et la farine de châtaignes. Mélangez-les à la poudre d'amandes
Dans une petite casserole, faites cuire le beurre, jusqu'à ce que de petites taches brunes apparaissent. Incorporez-le alors au mélange de sucre, de farine de châtaignes et de poudre d'amandes, en remuant énergiquement avec une spatule. Faites de même avec les blancs d'œufs, non montés en neige.
Beurrez un moule rectangulaire et versez-y le mélange. Faites cuire 30 min au four à 160 °C. Vérifiez la cuisson en piquant le centre du financier avec la pointe d'un couteau.
Servez en fines tranches avec, éventuellement, une sauce au chocolat.

Jean-Michel Bonnet
La Villa
20260 Calvi

Profiteroles au miel de lavande

Pour 4 personnes
glace à la vanille, miel liquide, amandes effilées, 5 brins de lavande
Pour la pâte à choux : 175 g de farine, 125 g de beurre, 4 œufs, 25 cl d'eau, sel

Préchauffez le four à 210 °C.
Pour la pâte à choux, portez à ébullition dans une grande casserole, l'eau, le sel, le sucre et le beurre en morceaux. Hors du feu, ajoutez la farine en une fois et, aussitôt, battez énergiquement à la spatule, afin d'obtenir une pâte homogène. Remettez à feu doux, en continuant à battre, jusqu'à ce que la pâte se décolle de la paroi de la casserole. Hors du feu, incorporez les œufs 1 par 1, en battant pour qu'ils soient complètement absorbés.
Laissez refroidir cette pâte, puis façonnez-en 5 petits choux par personne que vous cuisez 30 min au four.
Faites infuser les brins de lavande dans 25 cl d'eau, pendant 5 min, et réservez l'infusion. Au bain-marie, faites chauffer le miel liquide, puis parfumez-le avec l'infusion de lavande. Faites griller les amandes effilées.
Coupez les choux en deux et remplissez-les de glace à la vanille. Dans les assiettes, dressez les profiteroles, nappez-les de miel parfumé à la lavande et finissez avec les amandes grillées.

Alain Nicolet
84460 Cheval-Blanc

Gâteau de brousse de brebis au sirop d'érable

Pour 4 personnes

À préparer 12 h à l'avance

2 brousses très fraîches (maximum 3 jours) de 125 g chacune, 200 g de sirop d'érable

Pour la meringue italienne : 2 blancs d'œufs, 150 g de sucre, 10 cl d'eau

Pour la meringue italienne, mettez le sucre et l'eau dans une casserole à fond épais. Cuisez à feu doux sans laisser colorer ni bouillir. Fouettez les blancs d'œufs en neige très ferme. Incorporez, en très mince filet, le sirop de sucre, tout en continuant à fouetter, jusqu'à complet refroidissement.
Égouttez les brousses afin d'en extraire le petit lait. Fouettez-les fortement et ajoutez la meringue italienne très ferme, à laquelle vous aurez incorporé délicatement 3 cuillerées à soupe de sirop d'érable. Mettez le tout dans 4 faisselles vides et laissez reposer au frais pendant 12 h.
Démoulez et arrosez avec le reste du sirop d'érable.
Servez très frais.

Alain Ryon
Le Lingousto
83390 Cuers

Confiture d'oranges et de citrons

À préparer 2 jours à l'avance
15 oranges, 2 citrons, 3,5 kg de sucre environ, eau

L'avant-veille, lavez les oranges et les citrons. Pelez-les et coupez-les en tout petits morceaux. Conservez les pépins dans un peu d'eau. Coupez les peaux en lamelles que vous mettez, avec les morceaux de fruits, dans une bassine. Couvrez d'eau et laissez tremper pendant 24 h.
La veille, faites cuire le contenu de la bassine à feu doux pendant 1 h 30. Laissez reposer de nouveau 24 h.
Le jour même, pesez le mélange. Ajoutez le même poids en sucre et remettez à cuire avec l'eau dans laquelle les pépins ont macéré. La cuisson doit se faire à lente ébullition, pendant environ 1 h 30, jusqu'à consistance nappante.
Versez dans des pots à confiture et laissez refroidir avant de l'utiliser.

Michel Hebreard
L'Amiral
83120 Sainte-Maxime

LEXIQUE

Abaisse : pièce de pâte étendue à l'aide d'un rouleau, servant en pâtisserie, pour un pâté, un vol-au-vent ou une tourte.

Abats : tête, langue, cervelle, cœur, ris, foie, rate, rognons, fraise, pieds, amourettes, animelles et tripes des animaux de boucherie (ne pas confondre avec les **abattis**).

Abattis : tête, ailerons, pattes, cou, gésier, cœur et foie des volailles (ne pas confondre avec les **abats**).

Aiguillette : morceau étroit de viande ou de poisson, émincé en longueur.

Allonger : ajouter un liquide à une préparation trop épaisse ou trop réduite ; voir **détendre**.

Amourettes : moelle épinière du bœuf, du veau et du mouton.

Appareil : mélange de plusieurs ingrédients servant à la préparation d'un mets.

Aromates : herbes ou légumes utilisés comme condiments et servant à parfumer un mets en préparation.

Assaisonner : ajouter sel, poivre, huile, vinaigre, condiments, aromates ou épices à une préparation.

Bain-marie : mode de cuisson utilisé pour toutes les préparations qui ne doivent pas subir d'ébullition directe ; le récipient contenant la préparation est plongé dans un autre récipient plus vaste contenant de l'eau en ébullition ; la température d'un bain-marie est de l'ordre de 70 °C.

Barde : mince tranche de lard gras servant à envelopper les viandes, volailles ou gibiers destinés à rôtir, ou à garnir le fond des casseroles et terrines.

Barder : envelopper une volaille, un gibier ou une viande d'une ou plusieurs bardes de lards, que l'on maintient à l'aide de ficelle de cuisine.

Baron : gigots et selle de mouton ou d'agneau ; le baron se sert généralement rôti.

Blanchir : 1°. Passer un aliment (légume, viande) à l'eau bouillante, non pour le cuire, mais pour le préparer à la cuisson ; dans le cas d'un légume, passer rapidement à l'eau bouillante salée, afin de le conserver craquant ; dans le cas d'une viande, le blanchiment peut durer plus longtemps pour attendrir la viande ou la préparer à être rotie. 2°. Pour certains légumes, **blanchir** signifie cuire complètement : mettre dans l'eau froide et porter à ébullition quelques instants, avant d'égoutter.

Blanchir des œufs : mélanger vigoureusement des jaunes d'œufs et du sucre en poudre, jusqu'à ce que la préparation, sous l'effet de l'émulsion, devienne plus blanche.

Bouillon (donner un) : porter un liquide aux premières ébullitions.

Bouquet garni : persil, laurier, thym et céleri-branche, ficelés ensemble, parfois agrémentés d'ail et d'**oignon clouté**.

Bouteille : par convention, une bouteille vaut, dans cet ouvrage, 75 cl.

Braiser : faire cuire des mets préalablement rissolés, dans un fond de liquide, à feu doux et à couvert, sans évaporation, afin qu'ils conservent tous leurs sucs.

Brider : passer, à l'aide d'une aiguille à brider, une ficelle à travers les membres d'une volaille, afin qu'ils ne s'écartent pas pendant la cuisson.

Brunoise : un ou plusieurs légumes coupés en très petits dés.

Buisson : dressage en forme pyramidale.

Caramel : dernier degré de cuisson du sirop de sucre, au-delà duquel il brûle : il convient alors de l'**allonger** d'eau et de s'en servir pour colorer les jus ou les bouillons.

Caraméliser : synonyme de **pincer** ; également **chemiser** avec du **caramel**.

Carcasse : squelette de volaille ou de crustacé servant à préparer un **fond**.

Chapelure : mie de pain séchée, râpée et tamisée, utilisée pour paner ou gratiner une préparation.

Châtrer : retirer énergiquement le boyau des écrevisses avant de les cuire.

Chemiser : garnir toutes les parois intérieures d'un moule.

Ciseler : pour un poisson, faire de petites incisions au couteau, dans la peau, afin d'éviter sa déformation et faciliter sa cuisson (notamment pour une grillade) ; pour une herbe, la couper finement au couteau ou aux ciseaux.

Citronner : frotter la surface d'un mets avec du citron ; également ajouter ou arroser de jus de citron.

Clarifier : laisser reposer du beurre fondu, afin que les impuretés retombent au fond (dépôt blanchâtre) et qu'il devienne plus pur.

Clouter : piquer un oignon cru de clous de girofle.

Compoter : cuire une préparation à feu doux, longuement et à couvert, afin que les ingrédients se réduisent en une sorte de compote.

Concasser : hacher ou écraser très grossièrement.

Confire : préparer certains aliments en vue de les conserver, soit en les faisant cuire dans leur graisse, soit en les plongeant dans du sucre, de l'alcool, du vinaigre.

Cuisson : voir **fond de cuisson**.

Cuisson à l'anglaise : pour les légumes, blanchiment à l'eau salée ; cette cuisson permet de conserver la couleur verte de certains légumes (haricots verts, par exemple), à condition de les rafraîchir dès la fin de la cuisson. Pour les viandes et les volailles, pochage et cuisson dans un **fond** blanc.

Cuisson à blanc : cuire un fond de pâte sans la garniture.

Cuisson à l'étouffée : cuisson à feu doux et à couvert, avec très peu de liquide ou de matière grasse.

Cuisson à sec : cuire sans graisse.

Cuisson au blanc : cuisson dans un volume d'eau additionnée de farine (une cuillerée à dessert par litre), de citron ou de vinaigre blanc (pour les légumes), et éventuellement de **dégraissis** de pot-au-feu (s'il s'agit d'**abats**) ; la cuisson au blanc est utile pour les légumes dont la blancheur pourrait s'altérer à la cuisson (salsifis, par exemple) ou pour les **abats**.

Cuisson au bleu : cuire un poisson en le plongeant vivant ou très frais dans son liquide de cuisson ; pour un poisson de mer, simple cuisson à l'eau salée ; pour un poisson d'eau douce, cuisson au vin blanc avec aromates, persil et oignons.

Darne : tranche épaisse d'un poisson.

Débrider : retirer, après cuisson, la ficelle qui a servi à maintenir une volaille ou un rôti.

Décanter : éliminer le dépôt d'un liquide en le transvasant dans un autre récipient.

Déglacer : mouiller le fond d'une casserole, à la fin de la cuisson, pour diluer les sucs de cuisson.

Dégorger : faire tremper un mets dans de l'eau fraîche, en la renouvelant si besoin, afin d'éliminer les impuretés.

Dégraissis : graisse retirée à la surface d'un jus, d'une sauce, d'un bouillon.

Dépouiller : retirer la graisse ou l'écume qui montent à la surface pendant l'ébullition.

Détendre : ajouter un liquide, une substance, pour rendre plus fluide ; on dit aussi **allonger**.

Dorer : badigeonner une pâte (sucrée ou salée) de jaune d'œuf battu, qui colorera à la cuisson.

Dresser : disposer un mets (dans le plat de service ou dans les assiettes) selon l'apparence qu'il doit avoir à table.

Duxelles : hachis de champignons et d'échalotes revenu au beurre qui, lié avec un peu de sauce, sert notamment à accompagner des poissons.

Ébarber un œuf : **parer** un œuf poché.

Ébarber un poisson : couper les nageoires.

Ébarber une huître : retirer le cordon presque noir qui entoure le mollusque.

Échauder : tremper dans de l'eau chaude et retirer aussitôt.

Écorcher : retirer la peau d'un gibier, de certains poissons (anguille, congre).

Écumer : retirer, à l'aide d'une écumoire, l'écume qui se forme à la surface d'un liquide chaud ou bouillant.

Émincer : couper en fines lamelles, tranches ou rondelles.

Émulsionner : fouetter un liquide dans un autre avec lequel il ne se mélange pas (vinaigre et huile, par exemple).

Épaissir : rendre plus épais une sauce (à l'aide de farine, par exemple) ou un sirop (avec du sucre).

Épépiner : retirer les pépins d'un fruit (à l'aide d'un cure-dents ou d'une allumette).

Escaloper : couper en petites tranches.

Fariner : rouler un mets dans de la farine, avant de le faire frire.

Flamber : passer une volaille à la flamme pour brûler les derniers duvets ; faire dégoutter du lard chaud sur une viande, pour lui donner une belle couleur (en rôtisserie) ; verser de l'alcool sur un mets ou une sauce et l'enflammer.

Foncer : garnir une casserole de graisse, de légumes taillés et d'aromates, avant d'y faire cuire un mets ; tapisser les parois intérieures d'un moule d'une abaisse de pâte.

Fond : bouillon concentré servant à aromatiser certaines préparations.

Fond de braisage : lit de carottes et d'oignons en **rouelles** placé au fond d'une casserole, avec graisse et bouquet garni, constituant, après avoir rissolé, la garniture aromatique de la pièce à braiser.

Fond de cuisson : liquide, bouillon ou jus provenant de la cuisson d'un mets ; on dit également **cuisson**.

Fontaine : tas de farine dans lequel on a formé un creux, pour verser les différents ingrédients qui constituent une pâte.

Fraiser : rouler et comprimer une pâte entre les mains pour la pétrir, sans lui faire prendre trop d'élasticité ou de volume.

Frémir : bouillonner légèrement ; on dit aussi **frissonner**.

Frissonner : voir **frémir**.

Fumet : **fond** liquide, le plus souvent à base de déchets de poisson.

Glace (en cuisine) : coulis ou jus de viande, de volaille qui, arrivé à son dernier degré de réduction, nappe le dos d'une cuillère.

Glace (en pâtisserie) : préparation à base de sucre et d'eau ou de blanc d'œuf, utilisée comme glaçage de couverture.

Glacer : faire réduire une sauce à consistance épaisse ; enduire de jus, de **fond** ou de **glace** et faire colorer au four très chaud ; enduire ou tremper une préparation sucrée dans un sirop de sucre (fruits confits, par exemple).

Gratiner : former au four une croûte légère et dorée, avec du fromage râpé ou de la chapelure.

Julienne : préparation de légumes taillés en bâtonnets très fins et allongés.

Larder : **piquer** la viande de morceaux de lard gras.

Lier : incorporer à une sauce de la farine, de la fécule, de la crème fraîche ou du jaune d'œuf, pour l'épaissir.

Limoner : retirer au couteau le limon qui recouvre un poisson, après l'avoir rapidement passé à l'eau presque bouillante ; retirer, sous un filet d'eau, les déchets de certains abats.

Lit : couche d'un ingrédient ou d'un appareil.

Lut : mélange de farine et d'eau, utilisé comme joint entre un récipient de cuisson et son couvercle. Voir **lut** à la rubrique **ASTUCES ET TOURS DE MAIN**.

Luter une casserole : se servir d'un cordon de **lut** pour la fermer hermétiquement, durant toute la cuisson.

Macédoine : mélange de fruits ou de légumes coupés en petits dés.

Macérer : laisser reposer un aliment dans un liquide (une **marinade**, par exemple).

Manier : mélanger du beurre et de la farine, en quantités égales, pour lier des sauces, des **fonds** ou des jus.

Manier une pâte : bien mélanger le beurre et la farine, pour obtenir une pâte homogène.

Marinade : liquide dans lequel on fait **macérer** des viandes, du gibier, du poisson, généralement composé de vin, d'eau, de légumes émincés, d'aromates, de sel et de poivre en grains ; on peut aussi ajouter du citron ou du vinaigre.

Mariner : mettre un aliment à **macérer** dans une **marinade**.

Masquer : couvrir de sauce, de jus de cuisson ou de toute autre préparation à consistance épaisse. On dit aussi **napper**.

Mesclun : mélange de petites feuilles de diverses salades.

Mignonnette : poivre concassé.

Mirepoix : petits dés de légumes, additionnés éventuellement de jambon et d'aromates, revenus à la graisse et servant à un **fond** de sauce ou à une réduction.

Monder : enlever la peau d'un fruit, après l'avoir passé à l'eau bouillante.

Monter : battre au fouet pour augmenter le volume.

Monter au beurre : incorporer du beurre dans une sauce et la battre au fouet pour la rendre plus onctueuse.

Mouiller : ajouter de l'eau, du bouillon ou du vin dans un plat en cours de préparation.

Mouiller à demi : ajouter du liquide, de manière qu'il recouvre à moitié la préparation.

Mouiller à hauteur : ajouter du liquide, de manière qu'il affleure la préparation.

Nage : court-bouillon aromatisé dans lequel on fait cuire des écrevisses, des homards, des langoustes ou des coquilles Saint-Jacques.

Napper : voir **masquer**.

Oignon clouté : oignon piqué d'un ou deux clous de girofle.

Paner : envelopper de chapelure un mets, préalablement passé dans de l'œuf battu ou du beurre.

Panne : graisse contenue sous la peau du porc qui, une fois fondue, donne le saindoux.

Parer : retirer au couteau les parties non utilisées d'un morceau que l'on s'apprête à cuisiner, afin de lui donner une plus belle apparence.

Partir : commencer la cuisson longue d'une préparation en donnant une grande puissance au feu.

Parures : débris de poisson, de viande ou de volaille pouvant servir à la préparation d'un **fond**.

Passer : faire chauffer quelques instants à la graisse, sans laisser trop colorer ; filtrer (au **chinois**, par exemple).

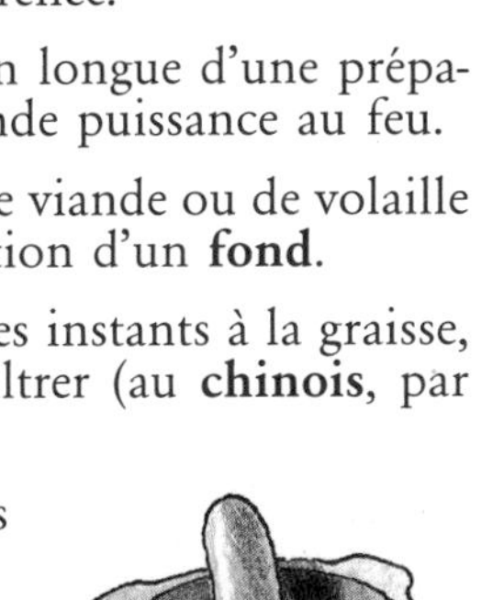

Piler : écraser au pilon dans un mortier.

Pincer : le fond d'une sauce ou le jus d'un rôti pince, lorsqu'il commence à attacher à la casserole, sous l'effet de la caramélisation ; on dit aussi **caraméliser**.

Pincer une carcasse : colorer légèrement au four les débris d'une volaille, avec une garniture aromatique et des légumes, avant de mettre le tout à bouillir pour confectionner un **fond**.

Pincer une pâte : saisir les deux abaisses pour les souder ensemble.

Piquer : insérer dans la viande de menus morceaux de lard gras (on dit aussi **larder**) ; aérer une **abaisse** de pâte en la piquant à l'aide d'une fourchette.

Plaquer : coucher sur une plaque à pâtisserie ; disposer des éléments à cuire sur une plaque à rôtir.

Pocher : faire cuire dans un liquide porté à **frémissement**.

Rafraîchir : passer brièvement des aliments à l'eau froide ou à l'eau glacée, pour les refroidir rapidement après leur cuisson.

Raidir : faire revenir des morceaux de viande ou de volaille, afin de les raffermir sans les laisser colorer.

Rectifier : modifier un assaisonnement, à la fin ou en cours de cuisson, en rajoutant les ingrédients nécessaires (généralement du sel et du poivre).

Réduire : laisser diminuer, par une cuisson vive, le volume d'une sauce ou d'un jus, pour lui donner davantage de goût.

Réduire à sec : **réduire** jusqu'à évaporation presque totale du liquide de cuisson.

Revenir : faire cuire à feu vif dans de la graisse, sans trop laisser colorer.

Rissoler : faire prendre une couleur dorée, à feu vif, avant de faire réellement cuire.

Rouelle : tranche épaisse, coupée transversalement, de légume, de poisson ou de viande.

Roussir : faire devenir roux des mets, en les cuisant à feu vif dans de la graisse.

Roux : mélange de beurre et de farine cuit et légèrement coloré, utilisé pour lier des sauces.

Saisir : exposer à l'action d'un feu vif, pour cuire rapidement ou pour préparer une cuisson plus longue.

Salpicon : préparation composée de plusieurs éléments coupés en petits dés.

Sauter : faire cuire rapidement et en retournant.

Suer : cuire un aliment (généralement un légume) à chaleur douce et à couvert, avec de la graisse, pour lui faire rendre son eau.

Suer une viande : la faire cuire à couvert, jusqu'à l'apparition des premiers sucs.

Suprême : blanc de volaille.

Tamiser : passer au tamis, pour éliminer les grumeaux ou pour obtenir une préparation fine.

Tendron : partie cartilagineuse à l'extrémité de la poitrine de veau.

Tourner les légumes : les **parer**, leur donner une forme déterminée et régulière.

Tourner un citron : retirer superficiellement le zeste à l'aide d'un couteau. On dit aussi **zester**.

Tourner une olive : la dénoyauter.

Travailler : mélanger les éléments d'une préparation; faire réduire une sauce sur le feu en la remuant; pétrir une pâte.

Trousser une volaille : replier ses membres et les attacher au corps à l'aide d'une ficelle, avant de la faire cuire.

Vanner : agiter une sauce à la cuillère ou à la spatule, pour la conserver lisse et empêcher la formation d'une peau à la surface.

Zeste : partie colorée de l'écorce d'un agrume.

Zester : voir **tourner un citron**.

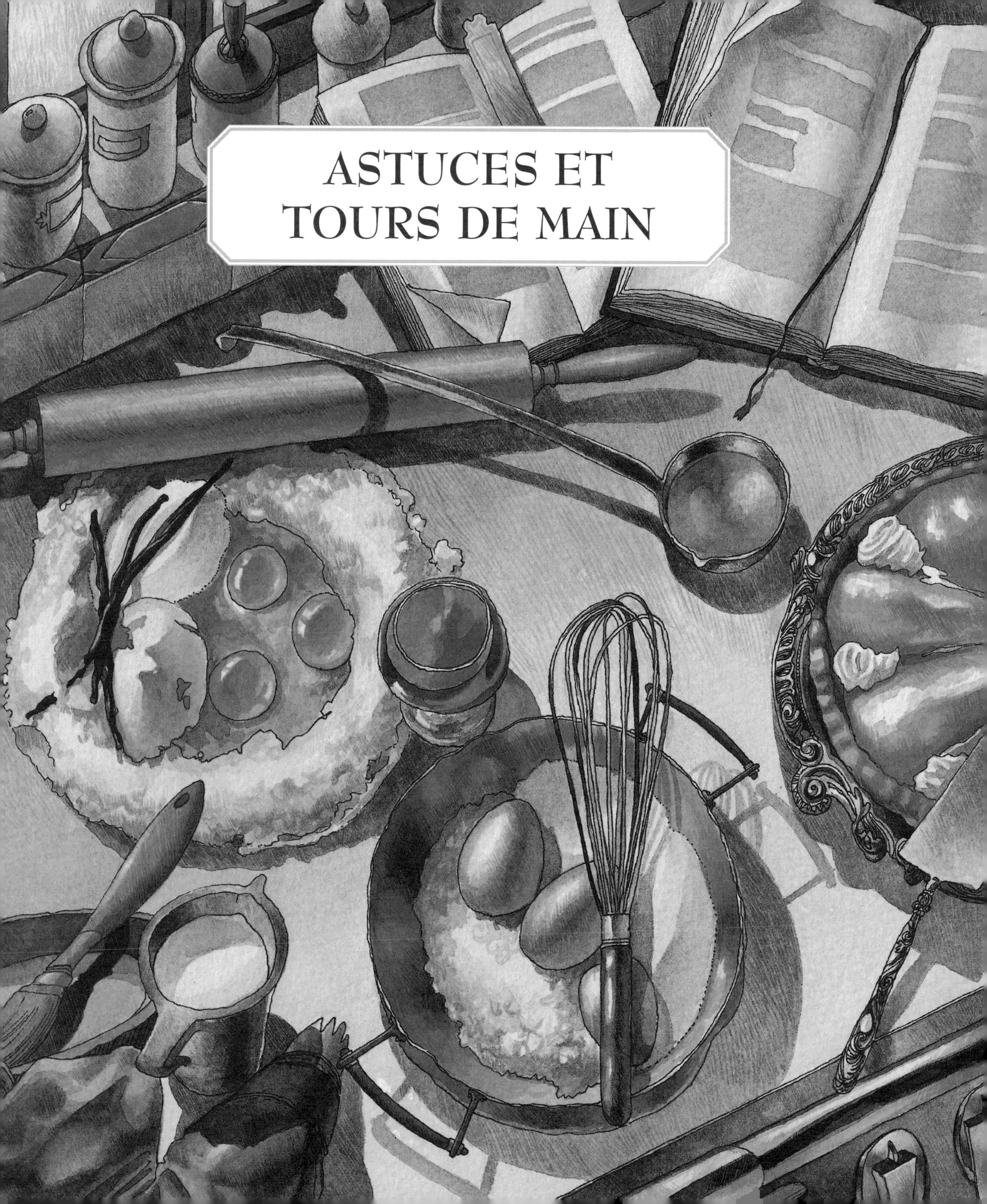

ASTUCES ET TOURS DE MAIN

Appertisation : procédé de conservation des aliments, précurseur de la pasteurisation, mis au point par Nicolas Appert, industriel français du XIXe siècle.

Asperges : pelez-les toujours de la tête vers la queue, en les maintenant fermement d'une main ; faites-les cuire en bottes et égalisez-les si elles doivent servir de décor.

Bain-marie : si le bain-marie chauffe trop, retirez un peu d'eau et remplacez-la par de l'eau froide, plutôt que de tenter de régler le feu.

Beignet : pour alléger les beignets, ajoutez à la pâte à frire un peu de bière ou du blanc d'œuf monté en neige.

Blanc de volaille : ne laissez pas un blanc de volaille ni trop longtemps, ni à découvert dans le réfrigérateur, car il risque de sécher ; si sa cuisson doit être longue et que vous craignez un dessèchement, faites-le trempez 1 h dans du lait frais, avant de le mettre à cuire.

Blanc en neige : pour battre des blancs en neige, des œufs de quelques jours valent mieux que des œufs trop frais ; incorporez une pincée de sel si vous voulez obtenir une neige ferme.

Bouillon : à défaut de faire un vrai bouillon, vous pouvez utiliser des concentrés. Vous pouvez aussi préparer « trop » de bouillon et le congeler par petites quantités : il vous servira à parfumer des sauces et sera beaucoup plus facile à doser que les bouillons tout prêts, vendus dans le commerce.

Bouquet garni : de même que pour les bouillons concentrés secs, on trouve désormais des sachets de « bouquet garni » ; en les conservant soigneusement et en en utilisant deux à la place d'un seul frais, on obtient un résultat assez satisfaisant.

Caramel : pour éviter la cristallisation, incorporez au caramel un filet de citron ou de vinaigre.

Carré : pour habiller un carré de viande avant de le cuire, commencez par retirer une partie de la graisse qui l'entoure ; tranchez la viande du haut de côte, incisez l'envers et dégagez les os ; grattez vivement les manches et ficelez-le enfin, pour maintenir en forme pendant la cuisson.

Cerfeuil : ciselez-le au dernier moment ; si vous devez le faire cuire (pour une sauce), ne soyez pas surpris qu'il noircisse.

Champignons : ne les laissez pas tremper dans l'eau ; les champignons de Paris doivent être lavés à l'eau courante, en les frottant (et après avoir coupé les pieds) ; la plupart des champignons forestiers ne peuvent qu'être brossés et rincés, puis essuyés prestement dans un linge.

Choux-fleurs : la couleur du légume sera préservée si vous citronnez l'eau de cuisson et lui incorporez un morceau de sucre.

Chutney : faites revenir dans de l'huile deux oignons et deux échalotes émincés, 100 g de figues sèches hachées et un morceau de gingembre frais finement coupé ; ajoutez 10 cl de vinaigre, 10 cl d'eau, quelques grains de poivre, et laissez cuire 1 h à couvert.

Ciboulette : si vous voulez vous servir de brins de ciboulette pour nouer des aumônières, laissez-les un peu tremper dans de l'eau pour les assouplir (voir également **poireau**) ; pour un décor, une sauce ou un parfum, ne les passez pas à l'eau, car ils flétriraient.

Concombres : faites dégorger les concombres pelés et coupés, pendant 1 h au sel, afin qu'ils soient plus digestes et plus présentables.

Coquillages : les petits coquillages vivant dans le sable seront plus faciles à nettoyer si vous les faites dégorger dans de l'eau salée, afin d'en éliminer le sable. Pour ouvrir facilement tous les coquillages, passez-les quelques secondes dans de l'eau bouillante, puis rafraîchissez-les immédiatement dans de la glace.

Couenne : si vous voulez **chemiser** (voir ce mot à la rubrique **LEXIQUE**) une braisière avec de la couenne salée, il est préférable de la faire d'abord blanchir quelques minutes à l'eau bouillante.

Découpe des aliments : pour couper un mets à table, munissez-vous d'un couteau bien affûté ; chaque pièce a son mode de découpe spécifique :

- *Barbue* : commencez du côté de la peau blanche ; coupez de la tête vers la queue, puis taillez en morceaux ; retournez le poisson et recommencez l'opération du côté de la peau noire. Procédez de même pour le *turbot*.
- *Chapon* : retirez les cuisses et coupez-les en deux par les jointures ; coupez les ailes avec un peu de chair de l'estomac ; détaillez des morceaux de filets de chaque côté, puis le reste de la poitrine. Procédez de même pour la *poularde*.
- *Cochon de lait* : à la cuisine, divisez-le en deux et séparez la tête du corps ; à table, détaillez le reste en quartiers.
- *Coquelet* : coupez-le en deux par le milieu. Procédez de même pour le *poussin*.
- *Cuissot de chevreuil* : commencez par le dessus de la noix, que vous coupez en biais ; laissez les morceaux adhérer légèrement à l'os.

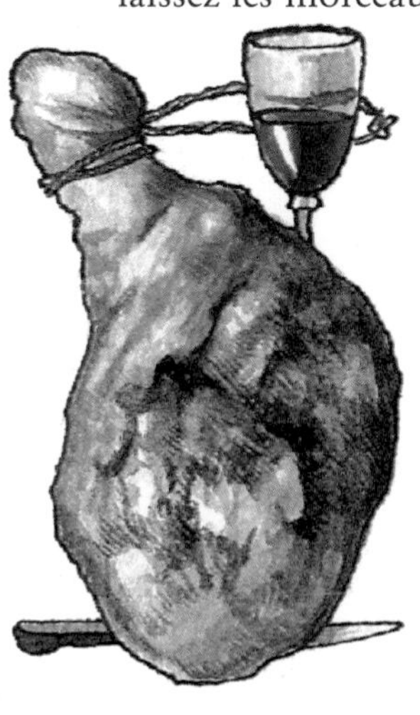

- *Dinde* : séparez les cuisses sans les découper totalement ; détachez les ailerons et la chair qui y adhère, puis découpez les filets.
- *Jambon* : si le jambon est à l'os, commencez par le jarret ; s'il est désossé, coupez de travers, pour éviter qu'il s'émiette.
- *Longe* : faites des coupes transversales.
- *Merlan* : les petits merlans ne se découpent pas ; les gros se découpent dans la longueur, en retirant l'arête centrale ; faites de même pour le *rouget* et la *truite*.
- *Poularde* : voir *chapon*.
- *Poulet* : coupez les cuisses, puis les ailes et la poitrine.
- *Poussin* : voir *coquelet*.
- *Râble* : détachez les filets de l'os, puis coupez le tout en biais, en longues aiguillettes.
- *Roast-beef* : coupez des tranches fines, de manière bien transversale ; si vous le servez chaud, utilisez des assiettes chaudes, et servez le jus à part.
- *Rouget* : voir *merlan*.
- *Saumon* : retirez d'abord la peau de l'un des côtés ; pratiquez une incision de la tête vers la queue, puis détaillez-le en filets.

- *Selle d'agneau* : vous pouvez la couper soit dans la longueur, soit en travers, soit en filets.
- *Selle de chevreuil* : coupez-la légèrement en biais ; si possible, dressez les morceaux au-dessus de l'os.
- *Sole frite ou meunière* : taillez le centre à la cuillère, de la tête vers la queue, puis divisez la sole à la fourchette ; retirez l'arête centrale et procédez de même de l'autre côté.
- *Truite* : voir *merlan*.
- *Turbot* : voir *barbue*.

Épices : comme pour le bouquet garni, vous pouvez trouver de bonnes épices dans les grandes surfaces, à défaut de connaître un bon détaillant. Lorsque les épices n'ont presque plus de goût, passez-les quelques instants au four pour rehausser leur saveur.

Farine : conservez-la dans un bocal en verre bien fermé, et non dans son emballage d'origine.

Feuilletage : voir **pâte feuilletée**.

Foie frais : pour dénerver un foie frais d'oie ou de canard, incisez chaque lobe du côté creux, puis retirez délicatement les veines à la main.

Foie gras : un foie gras demande à être sorti du réfrigérateur 1/4 h avant d'être dégusté ; vous le découperez plus facilement avec une lame de couteau très chaude et très propre (essuyez-la et passez-la à l'eau chaude à chaque nouvelle tranche).

Foies de volaille : pour attendrir les foies de volaille, faites-les tremper 1 h dans du lait avant de les cuire.

Fonds et fumets : il en existe désormais en poudre ; pour les fumets, rien ne vaut néanmoins un fumet fait maison (vous disposez des arêtes et de la carcasse lorsque vous achetez un poisson ou des crustacés) ; concernant les fonds, si vous les dosez correctement, vous obtiendrez presque le même goût qu'en les préparant vous-même.

Friture : pensez à séchez les aliments d'abord que vous allez faire frire ; ne mettez pas trop de pièces à la fois dans la casserole, car cela peut faire baisser la température ; filtrez le bain de friture après usage et changez-le souvent.

Fromage : vous éliminerez facilement l'humidité qui se forme sous la cloche à fromage en plaçant au centre un morceau de sucre ; vous pouvez aussi utiliser une cloche en grillage, moins esthétique, mais tout aussi efficace et ne provoquant pas d'humidité.

Gélatine : trempez toujours les feuilles de gélatine dans de l'eau froide avant de les utiliser. Respectez bien les doses indiquées dans les recettes, sinon le goût en serait faussé.

Herbes : évitez les produits surgelés : s'ils sont pratiques quand on possède un grand congélateur, ils sont souvent gonflés d'eau (ce qui peut nuire à la cuisson du plat) et, de ce fait, plutôt difficiles à doser.

Lentilles : rincez-les soignement à l'eau froide ; n'oubliez pas que les lentilles à peau fine cuisent plus rapidement. Ne les salez qu'en fin de cuisson et arrosez-les d'un trait de vinaigre, avant de les servir.

Levure chimique : la levure chimique ne gonfle qu'à la chaleur.

Levure de bière : également appelée levure de boulanger, on la trouve chez le boulanger (la commander au moins la veille).

Liaison à l'œuf : il est préférable de la faire au bain-marie, pour éviter que la sauce tourne.

Liaison au beurre : lorsque vous montez une sauce au beurre, soyez généreux : comptez environ 30 g de beurre pour 20 cl de sauce non liée.

Lut : pour un bon lut, comptez 200 g de farine pour 20 cl d'eau.

Magret : avant de cuire un magret de canard, incisez la couche de gras ; mettez d'abord à cuire sur le côté de la peau incisée, puis achevez la cuisson de l'autre côté.

Maïzena : conservez-la dans un bocal hermétiquement fermé.

Mesures : la mesure d'une masse ou d'un liquide n'est que rarement exacte : en cuisine, il s'agit avant tout d'une affaire de goût. À titre indicatif, voici quelques mesures utiles (voir **cuillerée** à la rubrique **USTENSILES**) :

- une cuillerée à soupe de farine = 10 g
- une cuillerée à soupe de semoule = 15 g
- une cuillerée à soupe de sel = 15 g
- une cuillerée à soupe de beurre = 15 g
- une cuillerée à soupe de miel = 15 à 20 g
- une cuillerée à soupe de crème fraîche = 2 cl
- une cuillerée à soupe de liquide (huile, vinaigre, vin, alcool, etc.) = 2 cl.

Monder les tomates : pour bien monder les tomates, il est préférable de les tremper 30 s dans l'eau bouillante, puis de les laisser refroidir : la peau se détachera très facilement.

Noix : pour détacher facilement les cerneaux, laissez tremper les noix entières dans de l'eau salée, avant de les ouvrir.

Œuf : un œuf contient trois cinquièmes de son poids en blanc et deux cinquièmes en jaune.

Œuf (fraîcheur) : pour vérifier la fraîcheur d'un œuf, plongez-le dans un récipient d'eau froide. Si l'œuf coule, il est encore frais ; s'il reste entre deux eaux, il n'est plus très frais ; s'il flotte, il est considéré par les services vétérinaires comme impropre à la consommation, mais il est consommable cuit.

Œuf coque ou dur : salez l'eau de cuisson pour éviter que, en cas de fêlure, le blanc se propage dans la casserole.

Œuf poché : s'obtient en cassant l'œuf délicatement dans de l'eau légèrement vinaigrée et, surtout, non salée (afin que le blanc ne s'éparpille pas). Toutefois, lorsque l'œuf est l'ingrédient principal d'un plat (par exemple, pour des œufs en meurette), il est meilleur de le pocher dans une partie de la sauce réservée : non seulement il ne se défera pas, mais, de plus, le blanc s'imprégnera de la couleur et du goût de la sauce.

Oignons : pour éviter de pleurer en pelant un oignon, pratiquer l'opération sous un filet d'eau.

Oignons farcis : avant de peler les oignons, passez-les au four ; lorsque la peau noircit, pelez-les, videz-les et farcissez-les. De cette manière, ils ne devraient pas se défaire à la cuisson.

Os (cuisson) : lorsque vous faites cuire un os, enveloppez-le dans un linge fin (par exemple, du tulle) ; vous pourrez ainsi récupérer la moelle ou dégraisser le bouillon plus facilement. Si vous ne disposez pas de tulle, coupez un petit bâtonnet de carotte crue et enfoncez-le à l'intérieur de la moelle, afin qu'elle ne s'écoule pas ; cette opération nécessite une certaine habileté, car vous risquez d'extraire la moelle de l'os.

Papillote : pour une grande pièce, utilisez du papier sulfurisé ; pour les petites pièces, qui cuisent moins longtemps, employez du papier aluminium. Dans les deux cas, fermez bien les extrémités.

Pâte à nouilles : creusez la farine en fontaine ; cassez dedans 1 œuf pour 100 g de farine et travaillez la pâte rapidement, en incorporant l'eau nécessaire ; abaissez au rouleau, puis laissez reposer avant de découper et de faire sécher. Ne tardez pas à consommer les nouilles.

Pâte à spätzle : pour 1 kg de farine, prenez 10 œufs, 50 cl de lait (ou un mélange à parts égales de lait et de fromage blanc à 0 % de matière grasse), une pincée de sel et une pincée de poivre. Mélangez le tout pour obtenir une pâte homogène.

Pâte brisée : creusez la farine en fontaine ; incorporez une cuillerée d'huile, une pincée de sel et deux fois moins de beurre (coupé en morceaux) que de farine ; travaillez le tout avec les doigts, puis mouillez d'un peu d'eau ; pétrissez rapidement avec la paume de la main : de la rapidité de cette opération dépend la légèreté de la pâte. Mettez la pâte en boule, recouvrez-la et laissez-la reposer 1 h avant utilisation.

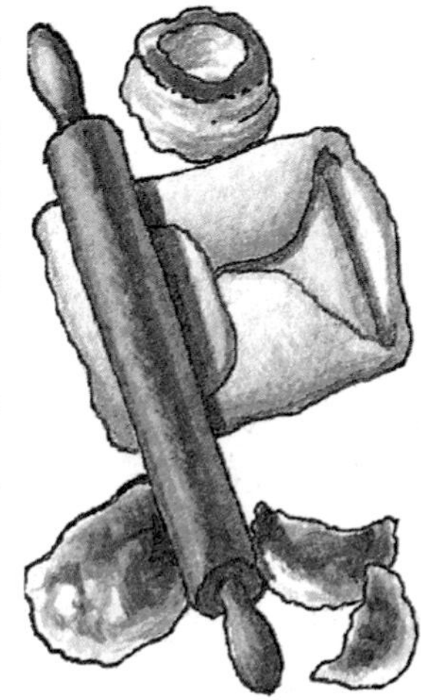

Pâte feuilletée : également appelée **feuilletage**. La quantité de beurre par rapport à celle de la farine varie (de la même quantité à un tiers de cette quantité), selon le feuilletage que vous désirez obtenir. En règle générale, prenez deux fois moins de beurre que de farine. Creusez la farine en fontaine et versez dedans un peu d'eau, dans laquelle vous aurez dissous une pincée de sel ; **fraisez** (voir ce mot à la rubrique **LEXIQUE**), pour obtenir une pâte lisse et ferme ; abaissez la pâte, puis déposez des morceaux de beurre dessus ; repliez les bords de la pâte pour enfermer le beurre et laissez reposer 10 min au frais ; abaissez au rouleau, puis pliez l'abaisse en trois ; remettez au frais ; abaissez de nouveau dans le sens inverse ; laissez reposer. Renouvelez six fois l'opération.

Pâtes alimentaires (cuisson) : pour la cuisson des pâtes alimentaires industrielles, le mieux est de se fier aux indications figurant sur le paquet ; les différents types de pâtes, en effet, nécessitent des temps de cuisson variables ; en revanche, un grand volume d'eau, additionné d'un peu de gros sel et de quelques gouttes d'huile, est toujours indispensable.

Pincer et dorer une pâte : pour pincer une pâte, il suffit de la coller avec un petit mélange d'œuf et d'eau, et de la serrer très fort entre les doigts. Vous pouvez, à l'aide d'un pinceau, badigeonner la pâte du reste du jaune d'œuf, afin qu'elle dore mieux à la cuisson.

Plumer un gibier : si possible, ne plumez pas le gibier dès le retour de chasse, mais mettez-le d'abord au réfrigérateur. Pour le plumer, commencez par le croupion et remontez progressivement vers la tête, en passant par le ventre.

Poireaux : un vert de poireau, taillé en longue julienne et ébouillanté quelques secondes, vous servira à ficeler une aumônière ; il cassera moins facilement qu'un brin de **ciboulette**.

Poivre du moulin : préférez le poivre du moulin au poivre déjà moulu. Utilisez le poivre blanc pour les sauces blanches ; cueilli plus mûr que le poivre noir, son arôme est plus doux.

Potiron : pour le faire gratiner, plutôt que de le laisser trop longtemps au four, placez-le quelques instants sous le gril.

Quatre-épices : mélange constitué des quatre épices suivantes : poivre, muscade, girofle et cannelle.

Queue : coupez la queue en allant de la base vers l'extrémité et en tranchant entre les vertèbres.

Riz : pour que le riz reste blanc, additionnez à l'eau de cuisson du jus de citron.

Rognons : commencez par les **parer** (voir ce mot à la rubrique LEXIQUE) : éliminez, avec les doigts, la graisse et la membrane qui les entourent, puis retirez le réseau urinaire. Faites-les cuire, de préférence, à feu vif : ils seront plus tendres qu'à feu doux.

Safran : achetez-le de préférence dans les épiceries et non en grande surface, où il a souvent moins de parfum.

Sang (conservation du) : entreposez le sang, dans une poche hermétique, dans du vinaigre au bas du réfrigérateur, en attendant de vous en servir au cours de la recette.

Sauce trop salée : si vous trouvez une sauce trop salée, adoucissez-la d'un peu de crème fraîche ou de sucre.

Sel : absorbez l'humidité de la salière à l'aide de quelques grains de riz ; à table, préférez la fleur de sel au sel fin : vous la trouverez dans les épiceries fines ou sur les lieux de production (essentiellement Guérande et Noirmoutier).

Spätzle : pour bien réussir les spätzle, prenez une passoire à gros trous et pressez la pâte dedans, au-dessus d'une casserole d'eau bouillante salée. Éventuellement, versez la pâte dans une assiette creuse et, à l'aide d'un couteau, détaillez de très fines lamelles que vous pochez 2 min dans un très grand volume d'eau bouillante, salée et poivrée. Dans les deux cas, rafraîchissez les spätzle, puis faites-les revenir légèrement dans une poêle très chaude et beurrée.

Sucre vanillé : pour le confectionner vous-même, mettez des gousses de vanille fendues en deux, avec du sucre en poudre, dans un bocal hermétiquement fermé ; laissez-le se « faire » pendant quelques mois, à l'abri de la chaleur.

Tomates : lorsque vous utilisez des tomates entières pelées en boîte, pensez tout de même à ajouter (pour une boîte) une ou deux tomates fraîches coupées en morceaux ; cela rehaussera à la fois le goût et la couleur du plat ou de la sauce.

Tomates farcies : pour éponger partiellement l'eau des tomates farcies, mettez quelques grains de riz dans chacune d'elles, avant de les farcir.

Tripes : si vous ne connaissez pas de tripier, pensez à commander les tripes suffisamment longtemps à l'avance chez le boucher, car nombreux sont ceux qui ne s'approvisionnent en tripes, qu'à la demande des clients ou qu'un ou deux jours par semaine.

Vanille : fendez toujours la gousse de vanille avant de l'utiliser.

Viande : en règle générale, salez la viande en fin de cuisson, et non au début.

Vin (choix) : choisissez de préférence des vins de la région de provenance du plat. Un très bon vin n'est pas nécessaire à la cuisine, mais un vin de faible qualité ou de mauvaise conservation ne donnera jamais un bon plat, et ne sera pas un bon compagnon pour le repas.

Vin (service) : certains œnologues disent que tous les vins se consomment entre 14 et 16 °C. Toutefois, pour les amateurs de vins à différentes températures, voici un aperçu des températures idéales de service :

- blanc liquoreux : 7 à 9 °C
- muscat jeune : 7 à 9 °C
- champagne et blanc de blancs : 8 °C
- blanc sec jeune : 8 à 10 °C
- rosé sec : 8 à 12 °C
- champagne millésimé ou cuvée prestige : 9 à 12 °C
- rouge jeune léger : 9 à 12 °C
- vin doux naturel : 10 °C
- rosé tannique : 10 à 12 °C
- blanc sec vieux : 10 à 12 °C
- rouge jeune corsé : 12 à 15 °C
- rouge vieux : 18 à 20 °C

Pour mener un vin à bonne température :

- ne mettez pas de glaçons dans le verre.
- ne placez pas, même brièvement, le vin au congélateur ou près d'une source de chaleur.
- pour le rafraîchir, placez-le sous un filet d'eau froide ou dans un seau contenant à la fois des glaçons et de l'eau, ou encore 3/4 h dans la partie la moins froide du réfrigérateur.
- pour le réchauffer, sachez que, dans une pièce à température normale (20 à 22 °C), le vin se réchauffe d'environ 7 °C par heure ; ainsi, un vin rouge vieux, ouvert 1 h avant le repas, devrait être à la bonne température.

Vinaigrette (assaisonnement) : n'assaisonnez jamais les légumes ou les salades à l'avance, car la vinaigrette les flétrirait.

Vinaigrette (conservation) : une vinaigrette se conserve très bien une semaine au réfrigérateur ; rien n'empêche d'en préparer une quantité importante à l'avance et, en fonction des besoins, de l'agrémenter d'herbes ou d'épices.

USTENSILES

En règle générale, évitez les ustensiles émaillés.

Affûtage : voir **fusil**.

Aiguille à brider : tige métallique de faible diamètre servant, par l'opération du bridage à l'aide de ficelle, à maintenir les cuisses et les ailerons de volaille contre le corps de l'animal.

Cassolette : petit récipient individuel à oreillettes ou à manche court, généralement en porcelaine.

Cercle : cercle de fer-blanc qui, posé directement sur la plaque du four, assure à la préparation qu'il contient une meilleure diffusion de la chaleur, et qui permet un démoulage plus facile que le moule à tarte.

Chinois : passoire métallique fine à fond conique servant surtout à passer les sauces.

Couteau : utilisez, de préférence, des couteaux bien affûtés et bien tranchants, en évitant les couteaux à dents de scie qui abîment la nourriture (sauf pour le pain).

- *Couteau à désosser* : couteau à lame courte, servant à désosser les viandes et les volailles.
- *Couteau à légumes* : couteau à lame rigide, longue et pointue, servant à émincer les légumes ou à hacher les herbes.
- *Couteau d'office* : petit couteau à lame pointue, servant à éplucher ou à tourner les légumes.
- *Couteau filet* : couteau à lame très souple et pointue, servant à ciseler les légumes ou à lever les filets de poisson.

Cuillère : c'est l'ustensile indispensable du cordon-bleu ; voir **cuillerée**.

Cuillerée : sauf indication contraire, une cuillerée se mesure toujours rase. Il faut trois cuillerées à café pour faire une cuillerée à soupe ; voir **mesures** à la rubrique ASTUCES ET TOURS DE MAIN.

Cul-de-poule : sorte de saladier, sans anses, en acier inoxydable, d'une contenance de 3,5 l environ.

Douille : petit ustensile en fer blanc, de forme conique ; sa très petite ouverture peut être lisse ou dentelée ; on l'adapte à une poche pour faire des décors, notamment en pâtisserie, et pour farcir une viande, une volaille ou un poisson. À défaut de poche à douille, façonnez un cornet avec du papier sulfurisé et refermez-le avec du papier adhésif.

Économe : outil servant à éplucher les fruits ou les légumes crus et comportant généralement deux petites fentes laissant passer les épluchures ; toutefois, il existe désormais des économes (utilisables par un gaucher), ne comportant qu'une seule fente, ce qui évite aux épluchures trop souples (carottes, par exemple) de se retourner.

Écumoire : ustensile en inox percé de trous.

Emporte-pièce : outil servant à découper des surfaces de pâtes ou d'autres aliments, généralement de forme ronde ; si vous n'en disposez pas, utilisez un verre, de la taille d'un verre à whisky, que vous nettoierez soigneusement, après chaque découpe, s'il adhère trop.

Étamine : pièce de tissu très fin, utilisée pour passer un coulis, une gelée, une sauce.

Fusil : ustensile servant à affûter les couteaux lisses ; maintenez toujours la lame presque parallèle au fusil pour l'affûtage.

Louche : une louche contient généralement 20 cl de liquide, soit dix cuillerées à soupe.

Mandoline : coupe-légumes à réglage variable, servant à râper, à tailler en rondelles, en bâtonnets ou en gaufrettes.

Moule à soufflé : moule à bords droits.

Rondeau : récipient de cuisson à parois peu hautes, muni d'un couvercle et de poignées.

Sauteuse : grande casserole à bords évasés ; l'intérêt de la sauteuse, par rapport au **sautoir**, est que le fouet va plus facilement travailler aux contours.

Sautoir : grande casserole à bords droits.

Spatule : longue palette flexible à l'extrémité arrondie, utilisée pour manipuler les mets fragiles.

Verre : autrefois, un verre contenait environ 20 cl ; aujourd'hui, il est entendu qu'il contient environ 25 cl ; il s'agit d'un grand verre à bords droits (verre à whisky).

Table des matières

Réalisation : Dominique Chieux

Photogravure : Quadrilaser

N° d'édition : 15646

N° d'impression : 73761

Achevé d'imprimer en août 1996
sur les presses de Hérissey, à Évreux.

Dépôt légal : septembre 1996.